COMENTÁRIOS SOBRE
MAIS QUE UM MILIONÁRIO

"A evidência da generosidade de espírito de Don Green é demonstrada por milhões de pessoas cuja vida foi positivamente afetada por ele. De um breve encontro à mesa de um banqueiro a trabalhar com ele na promoção da sabedoria atemporal de Napoleon Hill, todos que tiveram a sorte de conhecer e encontrar Don alcançaram o próprio sucesso como resultado de sua generosidade e orientação. Agora ele compartilha seu brilhantismo e a fórmula vitalícia para o sucesso em *Mais que um milionário.*"

– SHARON LECHTER
Coautora da série *Pai rico, pai pobre*, *Three Feet from Gold*
e membro presidente da Financial Literary Board

"Este livro pode transformar sua vida literalmente."

– LINDA FORSYTHE
Editora da *Mentors Magazine*

"Green é um verdadeiro gênio com as palavras. Todo mundo deveria ler este livro."

– BOB PROCTOR
Autor de *Penso e acontece,* palestrante motivacional,
e protagonista do documentário *O segredo*

"Grande mensagem – grande sabedoria."

Aut
já integrou a lista da *Forbes* das

"Don tem um jeito simples de compartilhar *insights* significativos que fazem você sentir vontade de aplaudir em pé."

– Ron Glosser
Ex-CEO de banco e CEO da Hershey Foundation

"Este livro vale seu peso em ouro."

– Joe Dudley Sr.
Fundador da Dudley Products, uma das maiores empresas de cosméticos de propriedade de minoria nos Estados Unidos, autor, filantropo, ganhador do Prêmio Horatio Alger

"Este livro pode ser descrito em uma palavra – tremendo."

– Tracey Jones
Autor, CEO da Tremendous Life Books

"Este livro é a prova de que dinamite vem em pequenas embalagens."

– Les Brown
Autor notável, palestrante motivacional

"Uma leitura absolutamente agradável."

– Brian Tracy
Autor de numerosos *best-sellers*, palestrante e consultor de grandes corporações

"Este livro tem o potencial de causar impacto na vida de muita gente; excelente trabalho, Don."

– John Assaraf
Autor de *Having It All*, *best-seller* da lista do *New York Times*, e outros

"Um excelente livro, cheio de princípios simples, comprovados pelo tempo."

– Leah O'Brien
Ganhadora de três medalhas olímpicas de ouro.

"Don Green é um contador de histórias magistral."

– Gary Goldstein
Produtor de cinema de filmes como *Uma linda mulher*, estrelado por Richard Gere

"Uma leitura realmente inspiradora."

– Frank Shankwitz
Fundador da fundação Make a Wish

"O livro perfeito no momento perfeito."

– Ruben Gonzalez
Participante de quatro olimpíadas

"W. Clement Stone escolheu Don Green a dedo para dirigir a fundação de meu avô. Embora realmente satisfeito com a diretoria de Don Green, sempre quis saber por que Stone o escolhera para a tarefa – isso até agora. *Mais que um milionário* mostra que a experiência de vida de Don Green é a personificação da filosofia de Napoleon Hill, o que faz dele a pessoa ideal para difundir a ciência da realização pessoal pelo mundo. Stone escolheu com sabedoria; nenhuma outra pessoa trabalhou tanto para preservar e promover o trabalho de Napoleon Hill."

– Dr. J. B. Hill
Neto de Napoleon Hill

"Lições de vida surgem em duas formas: lições teóricas e experiências de vida. Em *Mais que um milionário,* Don casou teoria e prática em uma ferramenta poderosa.

Ele entrelaça as verdades atemporais do mestre Napoleon Hill com sua própria experiência de vida de sucesso estrondoso."

– JIM STOVALL
Autor *best-seller* de *The Ultimate Gift*

"Que livro excelente! Desde as primeiras páginas, percebe-se rapidamente que a verdadeira riqueza não está na conta bancária, mas em uma vida bem vivida."

– GREG S. REID
Coautor de *Three Feet from Gold* e *Napoleon Hill's Road to Riches*

"Como presidente da Fundação Napoleon Hill, tem sido um prazer trabalhar com Don como diretor executivo da instituição. Por doze anos, Don guiou a fundação para uma consciência ampliada da filosofia do Dr. Hill no mundo. Ler o livro de Don será agradável e útil para o leitor."

– JIM OLESON
Corretor de ações e consultor financeiro aposentado, presidente da Fundação Napoleon Hill

"As histórias de sucesso de Don Green se destacam sobre todo o resto. Nada menos que inspirador. Do início humilde ao pico da realização, Don fez bom uso do 'sistema de sucesso que nunca falha'. Leia este livro e colha os frutos de uma vida inteira de lições aprendidas. Você vai herdar o legado. Aviso: quando começar, você não vai conseguir parar."

– SHANE MORAND
Distribuidor mundial da Organo Gold International

"Don Green seguiu os passos e sentou-se na cadeira de Napoleon Hill e W. Clement Stone. Só isso não o tornaria bem-sucedido, se ele não fosse o estudante consumado, o trabalhador incansável e não tivesse o desejo ardente de alcançar o sucesso. Junte a isso sua sabedoria e a capacidade de manter o mais alto nível ético. A carreira de Don Green tem sido um livro que finalmente ganhou vida. Um livro que vai inspirar em você milhares de novos pensamentos e um milhão de novos dólares."

– JEFFREY GITOMER
Autor de *O livro vermelho de vendas*

"Em 1983, tornei-me o primeiro diretor executivo da restabelecida Fundação Napoleon Hill. Antes, havia trabalhado pessoalmente com Napoleon Hill por mais de dez anos e simultaneamente com W. Clement Stone por um total de 52 anos. Em 2000, chegou a hora de me aposentar da fundação. Tendo procurado muito um substituto que conhecesse, entendesse, aplicasse e praticasse com bons resultados os princípios do sucesso de Napoleon Hill – além de demonstrar sólidas práticas comerciais –, o conselho de diretores e eu descobrimos que teria de ser um dos nossos. Uma pessoa com quem pudéssemos contar, que fosse capaz de continuar com sucesso a difusão e o marketing da filosofia do sucesso de Napoleon Hill no mundo todo. Seu nome... Don Green, um homem que havia servido de maneira diligente como membro do nosso conselho e agora mudaria de carreira, deixando de ser um bem-sucedido presidente de banco para dedicar todos os esforços à filosofia do sucesso que Napoleon Hill formulou. Nos últimos dez anos, ele tem feito exatamente isso. Um trabalho bem feito, e eu e o conselho de diretores temos muito orgulho de Don e de seus feitos e realizações para a fundação."

– MICHAEL J. RITT JR.
Ex-diretor executivo da Fundação Napoleon Hill

MAIS QUE UM
MILIONÁRIO

Tudo o que aprendi com Napoleon Hill

Don M. Green
CEO da Fundação Napoleon Hill

2019

Título original: *Everything I Know About Success I Learned From Napoleon Hill*

Copyright © 2013 by The Napoleon Hill Foundation

Mais que um milionário

2ª edição: Novembro 2019

Direitos reservados desta edição: CDG Edições e Publicações

O conteúdo desta obra é de total responsabilidade do autor e não reflete necessariamente a opinião da editora.

Autor:
Don M. Green

Tradução:
Mayã Guimarães

Revisão:
3GB Consulting

Preparação de texto:
Lúcia Brito

Projeto gráfico:
Dharana Rivas

DADOS INTERNACIONAIS DE CATALOGAÇÃO NA PUBLICAÇÃO (CIP)

G795m Green, Don M.
   Mais que um milionário / Don M. Green. – Porto Alegre: CDG, 2019.
   240 p.
   1. Desenvolvimento pessoal. 2. Motivação. 3. Sucesso pessoal. 4. Autoajuda. I. Título.

CDD - 131.3

Produção editorial e distribuição:

contato@citadeleditora.com.br
www.citadeleditora.com.br

*Para Phyl, minha esposa e melhor amiga,
que sempre foi minha inspiração.
Para minha filha, Donna, que me fez um pai orgulhoso
e distribui alegria a todos que a conhecem.
A meus pais, irmãos e irmãs, que ajudaram
a proporcionar as experiências que vivi e aproveitei.*

SUMÁRIO

Prefácio — 13
Agradecimentos — 17
Introdução: Minha visão para você — 21

1. A FÓRMULA — 27
2. SUCESSO — 49
3. ADVERSIDADE E FRACASSO — 59
4. PROPÓSITO E CRENÇA — 77
5. LIVROS — 89
6. DESEJO E DISCIPLINA — 103
7. OBJETIVOS — 109
8. HÁBITOS E PERSEVERANÇA — 121
9. FRUGALIDADE E AUTOSSUFICIÊNCIA — 131
10. APRENDER COM OS OUTROS — 139
11. MENTORES — 151
12. OPORTUNIDADES — 159
13. VISUALIZAÇÃO — 171
14. PENSAMENTO — 185
15. A EQUAÇÃO PESSOAL DO SUCESSO — 199
16. PERSEVERANÇA E PAIXÃO — 203
17. LEGADO — 215

PREFÁCIO

Don Green é um presente para todos que o conhecem. E agora você tem a oportunidade de ganhar esse presente lendo *Mais que um milionário*. Don compartilha sua história pessoal, provando que até com a mais modesta formação você pode alcançar uma vida de grandes realizações.

Don revela segredos e técnicas comprovadas para o sucesso verdadeiro, partindo de histórias e minibiografias de muitas pessoas bem-sucedidas que influenciaram grandemente sua vida, como Napoleon Hill e W. Clement Stone. Ele compartilha tesouros desses grandes professores e acrescenta as próprias experiências reais em uma abordagem prática que vai acelerar o leitor em seu caminho para a obtenção de seu maior sucesso. As histórias vão ajudá-lo a reviver um tempo em que vizinhos ajudavam vizinhos necessitados e comunidades se mantinham unidas nos tempos bons e maus sem nunca pedir a assistência do governo federal.

Don Green cresceu nas agrestes Montanhas Apalaches, filho de um mineiro subterrâneo de carvão. Os pais tinham pouca educação formal, mas ensinavam pelo exemplo, infundindo seu amor e afeto em Don e instilando a autodisciplina, bem como a dedicação ao trabalho duro e à honestidade, criando o melhor ambiente possível de aprendizagem para o filho.

Don conta como os pais ensinaram que trabalho duro nunca matou ninguém, uma mensagem que ouviu muitas vezes enquanto crescia. Embora os pais de Don nunca tenham ganhado muito dinheiro (bem pouco, na verdade), a mãe tinha casa e carro quitados e uma poupança bem razoável quando faleceu, recentemente. Ela se orgulhava de manter sua independência financeira, pagar as próprias contas, fazer doações para obras de caridade regularmente e revisar todos os demonstrativos financeiros e documentos até pouco antes de morrer.

É esse espírito de autodeterminação e filantropia que guiou Don ao longo da vida. Ele é a personificação e o exemplo vivo de um verdadeiro cavalheiro e um incrível professor e mentor. O sotaque sulista colore e dá vida ao talento de contador de histórias e envolve você de forma que possa experimentar seu mundo de dedicação, contribuição e grande sucesso.

Você vai rir quando ele contar a história do urso de estimação que fugiu durante seu esforço empreendedor juvenil de administrar um zoológico e uma banquinha de souvenires. Depois vai ver como esses esforços empreendedores prematuros desabrocharam em uma vida de sucesso e realização impressionante no ramo da prestação de serviços financeiros quando ele se tornou presidente e CEO de um banco, ainda jovem, aos 41 anos. Hoje, como CEO da Fundação Napoleon Hill, Don trabalha de maneira incansável para promover os ensinamentos de Napoleon Hill pelo mundo, inspirando e instruindo uma nova geração de empreendedores e realizadores.

É uma honra ter tido a oportunidade de trabalhar com Don Green e aprender com ele. Sua contribuição para o mundo, pela qual ele nunca busca reconhecimento, é um depoimento de sucesso e de sua dedicação vitalícia a ajudar o próximo. Leia *Mais que um milionário* e, enquanto estiver conhecendo esse homem incrível, você vai se descobrir mapeando o próprio caminho para o sucesso.

– **Sharon Lechter**

Fundadora e CEO da Pay Your Family First, autora de *Save Wisely, Spend Happily*, coautora de *Pai rico, pai pobre* e 14 outros livros da série *Pai rico*

sharon@sharonlechter.com

AGRADECIMENTOS

Este livro é o resultado de muitos pedidos que recebi ao longo dos anos para compartilhar minhas experiências – que, espero, vão ajudar os leitores a duplicar e ultrapassar em grande parte qualquer sucesso que eu tenha conseguido alcançar. Ao mesmo tempo, é importante aprender com os erros dos outros, nesse caso os meus, que aprendi a aceitá-los não como fracassos, mas como lições aprendidas.

Tantas pessoas contribuíram para este livro que, por maior que seja a lista, sei que vou esquecer muitas. Primeiro, duas alunas da UVA-Wise, Tosha Sturgill Wyatt e Brooke Lawson, pela competência técnica para passar as palavras para o computador. Incontáveis revisões resultaram em muitas versões, e o trabalho das duas como funcionárias em meio período contribuiu muito para qualquer sucesso que possa ser alcançado por este livro.

Annedia Sturgill, que sempre esteve presente para garantir que o trabalho fosse feito dentro do cronograma e com a atitude de que fazer a diferença é o que fazemos. O conselho de curadores da Fundação Napoleon Hill, Dr. Charles Johnson, James E. Oleson, Phil Fuentes, Micke Battle e o advogado Robert W. Johnson Jr., por seu apoio e confiança na missão da Fundação Napoleon Hill.

Aos diversos indivíduos na McGraw-Hill que foram profissionais e pacientes, como Donya Dickerson, editora executiva; Ann Pryor, gerente sênior de publicidade; e Daina Penikas, supervisora sênior de edição. Tenho com elas uma grande dívida de gratidão.

Outros que me ajudaram e incentivaram no caminho incluem: Chris Achua, Bill Bailles, Amy Bond, Debbie Collins, Judy Combs, Tim e Angel Cox, Diane Cornett, Amy Clark, Kim Deel, Bonnie Elosser, Chefe Emenike, Tami & Winston Ely, Teena Fast, Keith Fowlkes, Frank Frey, Glenn e Bea Hill, Larry Hill, Dr. J.B. Hill, Betty Humphreys, Zafar Khan, David Kendall, Dana Kilgore, Jack Kennedy, Lanna Lumpkins, Valerie Lawson, Peggy Markham, Susan Mullins, Sara Love McReynolds, David e Gaynell Larsen, Rusty Necessary, Joe e Reba Smiddy, Gary Stratton, Ginger Vance, Roger e Beverly Viers, Bill Wendle, Debra Wharton, Dawneda Williams, Dr. Peter e Sandy Yun, Bob Adkins, Eliezer A. Alperstein, Gary Anderson, Kathleen Andres, Tony Herold, Jim Amos, Tracy Trost, Tom Pace, Cliff Michaels, Gregory Etherton, Wally Cato, S. Truett Cathy, Don Caudill, Ed Cerny, Christina Chia, Jerry Ho, Karen Cody, Linda Compton, Jim Connelly, Tom Cunningham, Seth Baker, Jarad Barr, Ernie Benko, Margo Berman, Shannon Blevins, Reed Bilbray, William Bone, James Brown Jr., Raven Blair Davis, Rita Davenport, Shawn Davidson, Dirk Davis, Ron Dickenson, Greg Edwards, Louise Farley, Tom Gates, Valarie Gerlach, Marvin e Marcia Gilliam, Richard e Leslie Gilliam, Danny Greene, Bernetta Mullins, Jerry Greene, Toshiko Hartsock, Jeffery e Cindy Elkins, Sharon Ewing, Hasan Majied, Ida Holyfield, Lynda Hubbard, Brenda Salyers, James Humphreys, Hunter E. Craig, Sharon K. Jackson, Charlie e Jill Jessee, Alihan Karakarjal, Madeleine Kay, Patrick Kennedy, BonnieKogos, Empress Dion Lawson, Lewey e Brenda Lee, Larry Levin, Steven e Loretta Levin, Cheri Lutton, Allyn

Mark, Julia McAfee, Mark S. Mears, Alex Ong, Charlotte Parsons, Dr. Robert Patton, Joe D. Pippin, Don e Gigi Pippin, Gina Prince, Ed Primeau, Ricky Young, Jared Vasold, Jimmy Adkins, Jenay Tate, Katie Dunn, Jeff Lester, Phil Taylor, Joe Tennis, Adriana Trigiani, Markeda Wampler, Diane Ward, Jerry Wharton, Judith Williamson, Guang Chen "Alan", Uriel Martinez, Dr. William R. Wright, Donnie Ratliff, Jeremy Rayzor, Jon Reed, Greg Reid, Sharon Lechter, Ruby Rogers, Jon Schmitz, Ben e Nancy Sergent, Shin Saikyo, Ronnie e Marcia Shortt, Roger Sikorski, R.J. Sikorski, Zane Sturgill, Nancey Smith, Bonnie Solow, Lionel Sosa, Dr. Joe F. Smiddy, Ray Stendall, Toro Kawaguchi, Tatsuya Aminaka, Harai Kiyotaka, Cathy Still, William Sturgill, Ronald Sturgill e Wendell e Brenda Barnette.

INTRODUÇÃO

MINHA VISÃO PARA VOCÊ

Eu não poderia ter escrito este livro até poucos anos atrás porque, como escreveu Henry David Thoreau, "Como é vão sentar-se para escrever, quando você não se levantou para viver". Porém, como tenho a bênção de viver uma vida com que muitas pessoas apenas sonharão, escrevo para que outros possam aprender com este livro – como eu aprendi com outros. Todo o lucro financeiro desta publicação será doado na forma de bolsas de estudo para indivíduos carentes na Universidade da Virgínia em Wise, onde estudei.

Não estou tentando mostrar um jeito específico de enriquecer, porque há literalmente milhares de maneiras de se tornar financeiramente seguro se você tiver uma paixão e estiver disposto a trabalhar duro, desenvolver um plano ou planos, envolver outras pessoas e persistir.

O que eu quero é falar com você a partir da minha experiência, para que você também possa fazer o que outros fizeram antes, se repetir suas ações, desde que esse seja seu desejo. Perceba que falei em um desejo tão forte que se torne uma paixão, não um mero desejo.

Para ajudar o leitor, talvez eu deva falar sobre mim. Sou filho de um mineiro de carvão, meus pais não foram além do ensino fundamental. Por meio da minha experiência, vou mostrar que, se seguir determinados passos e princípios, você pode ser um sucesso.

Minha formação é em finanças e no sistema bancário. Aos 41 anos, me tornei presidente e CEO de uma instituição de poupança e empréstimos que estava para ser fechada pelas autoridades bancárias federais. A empresa havia perdido seu capital de US$ 1,5 milhão ao longo dos três anos anteriores. O antigo CEO não foi capaz de manter a instituição lucrativa, as taxas de juros haviam disparado e parecia não haver solução. Essa instituição ficava em uma área de mineração de carvão com alto índice de desemprego, um número tremendamente elevado de propriedades com hipoteca executada e empréstimos com prazos de trinta anos a taxas fixas muito inferiores ao valor dos depósitos – uma situação que não era exatamente ideal. Porém, eu era jovem, otimista e ingênuo.

Durante os dezoito anos seguintes, enquanto fui CEO, a instituição de poupança e empréstimos (mais tarde transformada em um banco de poupanças) foi lucrativa todos os anos. De fato, foi muito lucrativa. O banco foi vendido quando me aproximei dos sessenta anos, e fui convidado por outros curadores da Fundação Napoleon Hill para me tornar diretor executivo e cuidar dos assuntos da fundação no dia a dia.

Quando me tornei diretor executivo, tinha pouco conhecimento sobre a publicação de livros, mas meu diploma de contador, os anos de banco e a experiência como proprietário de vários negócios (em ramos como desenvolvimento imobiliário, serviços de lavagem a seco, aluguel de imóveis comerciais, TV a cabo e água mineral) ajudaram muito. Mas, além de ter uma formação empresarial variada, fui amante dos livros durante toda a minha vida. Esse amor pelos livros me levou a ler milhares deles e ouvir horas e horas de gravações.

Como era amante de livros sobre sucesso, inclusive biografias, tornei-me apreciador do Dr. Napoleon Hill, porque suas obras haviam sobrevivido por quase um século. O clássico *Think and Grow Rich* foi publicado pela primeira vez em 1937.* Quando eu tinha vinte e poucos anos, descobri esse livro, cuja primeira edição se esgotou em seis semanas, embora custasse US$ 2,50 no meio da Grande Depressão. O *best-seller* foi reimpresso três vezes em seu primeiro ano. Hoje exemplares da primeira edição são oferecidos por US$ 1 mil ou mais. A obra é reimpressa continuamente há setenta anos e ainda vende bem. Uma pesquisa recente de *best-sellers* sobre negócios classificou *Think and Grow Rich* como o número 9 na lista dos livros motivacionais de todos os tempos. A maioria desses *best-sellers* desaparece das livrarias em doze a 24 meses, mas a demanda contínua no mundo todo tem feito daquele o campeão dos títulos. *Think and Grow Rich* influenciou milhões de pessoas. Escritores e palestrantes motivacionais de hoje dirão rapidamente a você que foram profundamente afetados por esse livro.

Foram escritos muitos livros sobre sucesso, e você pode se perguntar por que outro deve ser escrito. Alguns dos primeiros foram de pessoas como Samuel Smiles, que escreveu *Self-Help* em 1859. Smiles escreveu sobre a habilidade humana do autoaperfeiçoamento

---

* *Quem pensa enriquece – O legado*, versão revista e atualizada, foi lançado no Brasil pela Citadel Editora.

e histórias reais sobre a persistência. O fracasso pode ser vencido pela perseverança, e os diversos exemplos sobre os quais Smiles escreveu podem ser aplicados no mundo de hoje, se seu objetivo for o sucesso. O livro de Samuel Smiles foi lido, e seus princípios foram absorvidos por renomados autores de desenvolvimento pessoal, como Orison Swett Marden e Napoleon Hill. Esses dois escritores foram lidos por milhões de pessoas, especialmente Hill, o primeiro autor de desenvolvimento pessoal que estudou mais de quinhentas pessoas bem-sucedidas na tentativa de responder à pergunta: "Por que algumas pessoas são bem-sucedidas e outras não?".

Quase todo livro de desenvolvimento pessoal vai lhe dar uma visão única, e, se você se lembra de como aprendeu o alfabeto e a tabuada, sem dúvida deve ter sido pela repetição. Não é provável que você possa melhorar sua posição na vida somente pela exposição à literatura de desenvolvimento pessoal ou inspiradora, sem o estudo contínuo de indivíduos de sucesso.

O material para se tornar um sucesso não é complicado.

Se você quer aprender o que outras pessoas bem-sucedidas fizeram, pode procurar o material que está prontamente disponível. Porém, você tem que estar sempre consciente não só do que é o material, mas também de como pode usá-lo para ter uma vida melhor.

Em poucos minutos, posso lhe mostrar como se tornar um milionário sem ganhar na loteria. Mas o problema é que cerca de 98% das pessoas carecem de *disciplina*.

O que eu quero que você lembre, a partir da leitura seja deste material, seja do material de outros bons escritores atuais, é que não é o que você adquire ou realiza na vida que o torna bem-sucedido.

Tornar-se um milionário ou multimilionário pode provocar um bom sentimento, e alcançar qualquer outro objetivo mundano pode ser muito satisfatório, mas o ponto importante que você precisa plantar no seu inconsciente é que o que você se torna durante o processo deve ser mais importante. Quando escreveu que "sucesso é uma jornada, não um destino", o autor Ben Sweetland provavelmente deu a melhor definição sobre isso.

Você também deve notar que os princípios de sucesso não mudam.

Os princípios das leis da atração, da semeadura e da colheita são tão confiáveis quanto os da lei da gravidade. Quando esses princípios são estudados e aplicados, aqueles que os seguem podem esperar os mesmos resultados que pessoas bem-sucedidas alcançaram. Se você segue esses princípios, pode esperar o sucesso, mas, quando os viola, pode esperar o fracasso.

O que eu desejo para você é que se torne mais que um milionário.

O legado que uma pessoa deixa deve ser algo que torne o mundo um lugar melhor para viver.

Você confortou os doentes, limpou o ambiente, foi mentor dos menos afortunados, concedeu uma bolsa escolar, ajudou uma tropa de escoteiros ou só deixou muito dinheiro para parentes que pouco ou nada fizeram para merecer essa herança? A escolha pertence a cada um de nós, mas minha experiência me ensinou que *as pessoas mais felizes são aquelas que causaram um impacto positivo na vida de outras pessoas.* Essas ações não precisam envolver dinheiro; a pessoa pode ter sido professora, conselheira, oficial da lei ou membro de qualquer profissão honrada.

Na edição de julho de 1921 da *Napoleon Hill's Magazine*, Napoleon Hill explicou seu uso do pronome *eu* e indiciou ter consciência do fato de que uma demonstração de egocentrismo pode ser vista como fraqueza no orador ou escritor. Porém, não estou tentando inflar meu ego quando uso *eu* para contar aos leitores minhas experiências autênticas. Essas não são experiências hipotéticas. Quando as estou relatando, estou simplesmente tentando passar informações para que possa você aprender com elas. Estou contando não para impressioná-lo, mas para inspirá-lo a perseguir seus objetivos e levar uma vida incomum.

1

A FÓRMULA

Você pode fazer tanto quanto pensa que pode,
Mas nunca vai realizar mais que isso;
E você pode vencer, mesmo enfrentando o pior,
Se sente que é isso que vai fazer.

— EDGAR A. GUEST

O maior desperdício de todos é o desperdício da nossa potencial capacidade mental. O famoso professor e psicólogo de Harvard William James estimava que a pessoa mediana usa apenas 10% de sua capacidade mental. Ela tem capacidade ilimitada, mas usa apenas um décimo dela.

O poder de ser o que você quer ser, de ter o que deseja e de realizar aquilo pelo que está se esforçando reside dentro de você. Você é responsável por trazê-lo à tona e fazê-lo trabalhar.

Você pode ser o que decidir ser. Ser feliz, saudável ou bem-sucedido é um produto da mente e suas possibilidades ilimitadas.

Dentro de você reside esse poder que, quando adequadamente apreendido e direcionado, pode tirá-lo do domínio da mediocridade e colocá-lo entre os poucos que alcançam grandes realizações na vida. Você precisa aprender a usar esse poder e perceber que a mente pode realizar todas as coisas.

Um barco vai para o leste e outro vai para oeste
Com os mesmos ventos a soprar.
É a posição das velas, e não os ventos,
Que nos dizem que rumos vão tomar.
Como os ventos do mar são os caminhos do destino,
Quando pela vida seguimos:
É a disposição de um ser que decide seu objetivo,
E não a calmaria ou o conflito.

— ELLA WHEELER WILCOX

Toda pessoa sincera quer melhorar sua condição de vida.

Toda riqueza depende de ter um conhecimento claro de que a mente é a criadora da riqueza. Você deve controlar seus pensamentos para controlar suas circunstâncias.

Para obter riqueza, você precisa ter o desejo por riqueza. Uma vez que tenha o desejo de criar riqueza, você deve acreditar que pode alcançá-la. Se você acredita que pode – se vê isso como um fato existente –, tudo que puder desejar acertadamente é seu. A crença é "a substância das coisas que esperamos, a evidência das coisas que não vemos". Por isso o ditado "só acredito vendo" é incorreto – você vai ver se primeiro acreditar. A crença deve vir antes.

Pode-se observar que muitas pessoas que realizaram algo muito importante não parecem mais capazes ou mais instruídas que aquelas que lutam dia após dia, mas realizam muito pouco. Qual é o poder que dá vida nova àquelas que são bem-sucedidas na busca pelo sucesso?

O poder que torna as realizações possíveis é a crença. Crença ou fé dá ao indivíduo o poder de pôr em prática o esforço necessário para alcançar o sucesso e evitar o fracasso.

A crença em si mesmo é um poder interior que torna todas as coisas possíveis de alcançar. Você pode fazer o que pensa que pode. Acreditar em si mesmo permite ter a expectativa de poder resolver todos os problemas que acometem a humanidade e alcançar tudo que é certo.

Da mente vem a oportunidade; as únicas limitações são aquelas que você coloca para si mesmo.

Tudo que pode ser desejado é resultado do pensamento. William James disse: "Quanto mais a mente faz, mais ela pode fazer". Cansar-se de fazer é mais um resultado do tédio do que da fadiga do esforço físico.

Você pode trabalhar quase sem parar quando sente prazer com seu trabalho.

Se você ouve repetidamente que não pode fazer certas coisas, pode passar a acreditar que não pode fazê-las. Lembre-se de que sucesso é um estado mental, mas lembre-se também de que fracasso é um estado mental.

Você precisa se ver fazendo aquilo que deseja porque precisa saber que pode e vai fazê-lo. O lado negativo de acreditar é que, se você acredita que não pode fazer alguma coisa, não será capaz de fazê-la.

É necessário que você acredite em si se quiser tirar proveito máximo de suas capacidades. É urgente que você acredite em si para convencer outras pessoas a cooperar com a realização de quaisquer tarefas que esteja assumindo.

A única coisa que você tem e que vai capacitá-lo a alcançar o sucesso é sua mente, e para a mente ter seu melhor desempenho você precisa ter um sistema de crenças com uma disposição de otimismo. Não é provável que você tenha um bom desempenho se tiver uma disposição mental negativa. Você não pode esperar criar um cenário positivo enquanto se apega a pensamentos negativos. Medos, dúvidas e outras características negativas diminuirão seus sonhos e aspirações na vida. Quando Orison Swett Marden escreveu que você precisa construir castelos no ar antes de poder ter castelos no chão, estava dizendo que o pensamento daquilo que você quer realizar deve ser explícito em sua mente antes de você poder realizá-lo.

É fácil acreditar que a grama é mais verde no quintal do vizinho, que você poderia estar seguro do sucesso se pudesse mudar seu ambiente. O problema em pensar que uma mudança de ambiente poderia garantir sucesso é que o verdadeiro sucesso vem de dentro.

Nossos pensamentos trazem sucesso ou fracasso, dependendo do que deixamos dominá-los.

As três palavras no começo do Capítulo 1 de *Think and Grow Rich* são "pensamentos são coisas", e essas palavras são muitos importantes se você deseja o sucesso.

Seus pensamentos dominantes criam seu mundo interior, e seu mundo exterior não é mais que um reflexo do seu mundo interior.

Mesmo que suas escolhas passadas tenham sido erradas porque seus pensamentos foram negativos, você pode começar de novo porque "nossa vida recomeça a cada nascer do sol". A riqueza está dentro de nós, e ninguém fracassou enquanto puder tentar de novo. O indivíduo só está derrotado quando para de tentar.

Você só precisa pensar, concentrar os pensamentos naquilo que deseja e dar os passos apropriados para tornar possível a realização de seus objetivos. A crença de que a realização é possível vai levá-lo a fazer o esforço necessário e fazê-lo com confiança.

Sua mente produzirá os planos necessários assim que você acreditar e começar. Mas é aí que um grande número de fracassos se origina, porque as pessoas deixam de começar.

As pessoas bem-sucedidas nesse mundo sempre foram aquelas que acreditaram em si. Pode parecer uma tarefa impossível, mas lembre-se de que o sucesso vem de dentro, e, quando você adquire essa crença interior, ela se reflete no seu mundo físico ou exterior. Acreditar e saber são os componentes necessários do sucesso. Você precisa decidir qual é a coisa mais importante que deseja no futuro. Lembre-se sempre de que pode ser ousado em seus desejos, porque as únicas limitações são aquelas que você coloca à sua mente. Você deve ver o que deseja, aprender a visualizar, acreditar e desenvolver planos para alcançar.

Recentemente passei a noite em Charlotte, Carolina do Norte, para comparecer a uma reunião às oito da manhã seguinte com um autor *best-seller* e um dos palestrantes mais procurados dos Estados Unidos para tratar da publicação de um projeto em que a Fundação Napoleon Hill estava envolvida. O nome do autor é Jeffrey Gitomer, e, se você não o conhece, seria bom conhecer visitando o site www.gitomer.com.

Na noite anterior à reunião, fui a um restaurante local e fui atendido por uma garçonete muito gentil chamada Brooke. Disse à jovem que ela iria longe por causa de sua personalidade excepcional. Falei que, no escritório da Fundação Napoleon Hill na Universidade da Virgínia em Wise, uma funcionária que trabalhava meio período, cujo nome também era Brooke, tinha uma boa personalidade, e eu apostava que as duas iriam longe.

Eu disse a Brooke: "Aposto que você não vai servir mesas para sempre", e ela respondeu: "Como soube que servir mesas era só uma parada temporária?". Achei aquela resposta maravilhosa. Falei que tinha notado que os jovens que aceitam empregos só para ganhar algum dinheiro, mas pensam em construir um futuro quando terminarem a faculdade, normalmente têm uma boa atitude. Pessoas que trabalham em empregos por salários baixos podem facilmente desenvolver a atitude de estar em um emprego sem perspectivas. Se isso se aplica a você, faça o que Brooke fez: considere o trabalho mal remunerado como uma "parada temporária", uma pausa enquanto você se prepara para seu futuro.

Você alguma vez acreditou que nunca vai poder ser um milionário porque pessoas que enriquecem têm talentos ou outras características que pessoas como você, "comuns", não têm? Se você ainda acreditar que a resposta para essa pergunta é sim quando terminar de ler este livro, eu terei falhado na missão de transmitir a verdade.

Sucesso é na verdade um jogo mental, como percebeu meu bom amigo Joe Dudley Jr. As circunstâncias de seu começo de vida teriam dado a ele muitas desculpas para fracassar. Em seu livro *Walking by Faith*, Joe informa ao leitor que não só nasceu pobre e em uma família grande, como também tinha dificuldades na fala e foi rotulado como retardado. Além disso, ser negro não era exatamente um privilégio quando ele era criança.

Dudley contou para quinhentos estudantes, no Dia Napoleon Hill, celebrado anualmente na Universidade da Virgínia em Wise, que a mãe havia explicado que ele podia ser lento, mas que, quando conseguia alguma coisa, ele conseguia.

Joe conseguiu alguma coisa um dia? Bem, hoje ele é proprietário da maior empresa de cosméticos de minoria nos Estados Unidos. É muito rico e doou milhões para causas dignas como bolsas de estudo.

Quando você tem um objetivo em mente e uma paixão por ele – ou, como disse Napoleon Hill, um "desejo ardente" de realizá-lo –, você está no caminho certo.

Uma tarefa começada é meio caminho andado. Começar é a parte mais difícil.

Depois de ler, estudar e aprender a acreditar nos princípios do sucesso, você terá à sua disposição as ferramentas necessárias para superar problemas e alcançar o crescimento pessoal que vai capacitá-lo em sua jornada para o sucesso.

É o objetivo ou propósito de uma pessoa que a faz. Sem propósito, ela é como uma planta seca arrancada do chão, que o vento determina para onde vai. Um obstáculo surge no caminho, e, se a pessoa não tem propósito ou objetivo, vai alterar a rota. Ela se concentra em sua fraqueza, infelicidade e em seu fracasso – em outras palavras: "Minha vida não tem rumo".

Um objetivo bem determinado e generoso confere vigor, direção e perseverança a toda a vida de uma pessoa. As qualidades associadas a um propósito forte são um intelecto bem disciplinado, personalidade, influência, tranquilidade e alegria interior – e são elas que levam ao sucesso. Sejam quais forem os talentos e vantagens de uma pessoa, se ela não tiver propósito ou tiver um objetivo pequeno, será fraca e desprezível; se tiver um objetivo maior, não poderá ser outra coisa senão respeitável e influente.

Sem um objetivo definido diante de nós, sem algum padrão que nos esforcemos sinceramente para atingir, não podemos esperar alcançar nenhuma grande altitude, seja mental, seja moral. Porém, estabelecer padrões elevados e desejar alcançá-los sem maiores esforços de nossa parte não é o suficiente para nos elevar a nenhum grau importante.

Tem sido dito: "A natureza reserva para cada um de nós tudo de que precisamos para sermos úteis e felizes, mas exige que trabalhemos e esperemos por tudo que recebemos". Não recebemos nada de valor que não inclua a necessidade de trabalhar, e só podemos contar com a superação das dificuldades pelo trabalho árduo e nobre. Em nossa luta por "alguma coisa melhor do que conhecemos", devemos trabalhar pelo bem do próximo, não pelo prazer pessoal. Aqueles cujo objetivo na vida é a própria felicidade acabam descobrindo que sua vida é um triste fracasso.

Cada um de nós tem que fazer alguma coisa todos os dias para seguir de maneira digna na direção de um plano definido de ação. Para ser bem-sucedido nos objetivos e ambições de vida, é preciso mais que sonhar. Só alcançamos os melhores resultados em todas as áreas da vida quando planejamos com cuidado e trabalhamos com afinco na direção apropriada.

Objetivos sem ação morrem. O trabalho é necessário, e é inútil esperar bons resultados sem bons planos. Esforços aleatórios ou com pouco empenho geralmente são apenas perda de tempo.

O objetivo de pessoas bem-sucedidas na vida sempre envolve planos cuidadosos seguidos da ação.

Seja o objetivo aprendizado, seja riqueza, os caminhos e os meios são sempre dispostos de acordo com os melhores planos e métodos. Um capitão do mar usa um mapa; um arquiteto, plantas; um escultor, um modelo; e todos usam ferramentas como um meio para chegar ao sucesso. Até grandes inspirações que podem ser definidas como geniais podem fazer pouco, a menos que incluam ação aplicada a um plano bem formado; quando isso acontece, cada passo é um movimento na direção da realização da meta ou objetivo principal de vida do indivíduo. Nenhum esforço é tempo perdido, porque nada é feito ao acaso.

No grande propósito da vida, algum objetivo valioso deve ser mantido constantemente à vista, e todo esforço para realizá-lo deve ser feito todos os dias. Se você agir dessa maneira, vai se aproximar do objetivo da sua ambição, talvez de modo inconsciente.

Não deve haver nenhuma dúvida de que a fixação de propósito é o maior elemento do sucesso humano.

Quando uma pessoa formou um grande propósito soberano em sua mente, esse propósito governa sua conduta, assim como as leis da natureza, como a lei da gravidade, governam a operação de coisas físicas.

Todo mundo que se interessa pelo sucesso deve ter um objetivo em vista e deve persegui-lo de maneira constante. Não deve se distrair do caminho por outros objetos que surjam, embora possam parecer muito atraentes. As pessoas não vivem o suficiente para realizar tudo. De fato, só algumas conseguem realizar mais de uma coisa bem. Muita gente não realiza nada de valor.

Todavia, não existe uma só pessoa dotada de intelecto comum que não possa realizar pelo menos um propósito útil, importante, valioso. Alguns homens que a história classifica entre os maiores foram treinados desde a juventude para escolher um objetivo definido de vida, ao qual direcionaram todos os pensamentos e toda a energia. Aquilo se tornou o único propósito de seu coração e foi a base para suas realizações futuras.

Se você quer ser bem-sucedido, não basta apenas sonhar com o sucesso. Não basta acreditar que pode ser bem-sucedido. Você tem que desenvolver seu conjunto de objetivos e definir o que significa, para você, se tornar um sucesso. Sua ideia de sucesso pode ser apenas fazer certa quantia em dinheiro. Só você pode determinar quais serão seus objetivos, e atingir esses objetivos é o que fará de você um sucesso.

Porém, depois de obter aquela quantia, você pode se perguntar: "A vida é só isso?". Por isso você precisa incluir planos para ajudar os menos afortunados. Já foi dito que estátuas e outras homenagens nunca são concedidas pelas coisas que alguém faz para si mesmo, mas pelo que a pessoa faz pelos outros.

Quais fatores definem o que é ser bem-sucedido? Se você perguntar a várias pessoas diferentes, vai receber muitas respostas. Algumas dirão que é ter muita instrução; outras pensarão que é preciso trabalhar duro. Outras vão lembrar a declaração do presidente Calvin Coolidge sobre a persistência. Walter Chrysler, o gênio do automóvel, nos lembrou que nada de valor jamais foi realizado sem entusiasmo. Todas essas características são de grande ajuda, mas sozinhas não são o que é necessário para alguém ser bem-sucedido.

Por exemplo, a educação permite as realizações de uma pessoa, mas não garante o sucesso. O mundo é cheio de pessoas educadas que não percebem que conhecimento só é importante quando é aplicado. Trabalhar duro é uma boa característica, mas uma quantidade incomensurável de pessoas trabalhou duro muitas horas durante anos sem nunca ter visto o sucesso.

Um fator que determina o sucesso é oferecer um serviço ou produto desejado no mercado.

Perceba que não falei em serviço ou produto de que as pessoas necessitem. Ray Kroc fez milhões vendendo hambúrgueres; não era necessariamente um produto de que as pessoas precisassem, mas era algo que elas queriam. O grau em que você faz uma coisa melhor que os outros e recebe justa recompensa por seu serviço ou produto vai determinar seu sucesso.

Qualidades como persistência, trabalho duro e integridade são importantes se você quer ter sucesso. Porém, tudo isso não garante o sucesso. O primeiro passo para o sucesso começa em nosso processo de pensamento. Em 1937, quando Napoleon Hill pôs as três palavras "pensamentos são coisas" no começo de *Think and Grow Rich*, o maior *best-seller* de todos os tempos, ele estabeleceu um fato essencial do processo para o sucesso, que descobriu ao longo de vinte anos de pesquisa.

Pensamentos realmente são coisas, mas é importante que o processo do pensamento se concentre em um propósito que supra uma carência humana e ao mesmo tempo seja algo pelo que você tem profunda paixão. A importância da paixão é que, mesmo que você tenha uma ideia maravilhosa, se não tiver paixão, provavelmente vai desistir quando as coisas ficarem difíceis. Paixão vai fazer você querer persistir, procurar outros planos quando for necessário, pedir ajuda ou, em outras palavras, ficar firme no objetivo até que este seja alcançado.

Como mencionado antes, o primeiro passo para o sucesso acontece no seu processo de pensamento, e o modo como usamos o pensamento é extremamente importante para o nosso sucesso. Se você estudar o processo do pensamento, vai perceber que pensamos em imagens e que, quanto mais vividamente pensamos em imagens, mais essas imagens mentais nos ajudam na estrada para o sucesso. Aristóteles, o brilhante pensador da antiguidade, disse: "É impossível até pensar sem uma imagem mental". Pense nas imagens mentais como um filme exibido dentro de sua cabeça.

Quando você tiver uma imagem mental daquilo que quer realizar, deve comprometer-se com a aquisição do que falta para chegar ao destino. Determinar o que você deseja realizar é uma necessidade absoluta para tornar suas imagens mentais uma realidade.

Depois de ter selecionado seu objetivo ou propósito e se comprometido com ele, você precisa formular planos. Depois tem que pôr esses planos em prática. Muita gente tem boas imagens mentais e pode até ter planos, mas, até que se tome uma atitude, nada acontece.

Você não pode apenas pensar, sonhar ou desejar que alguma coisa aconteça; você precisa agir.

Mesmo que seus planos se mostrem inadequados, você precisa começar, porque sempre pode alterá-los ou até ter novos planos. Raramente você terá todas as respostas no início. Quando parecer que, depois da primeira, segunda ou última tentativa, você não teve sucesso, lembre-se das tentativas de Thomas Edison para encontrar um filamento que não queimasse tão depressa; ele fez mais de dez mil tentativas antes de ter sucesso na criação da lâmpada elétrica.

Considere cada tentativa completada não como um fracasso, mas como educação.

O que você quer realizar no mercado deve se concentrar nas melhorias necessárias – tais como melhor serviço, qualidade mais elevada, melhor preço ou alguma outra característica – pelas quais eventuais consumidores se disponham a pagar um preço que resultará em um lucro desejável.

Há vários anos, participei de um grupo que tinha a ideia de fundar uma empresa de televisão a cabo. A TV a cabo havia se tornado muito popular, mas construir uma nova empresa no segmento seria um desafio. O processo era uma "sobreconstrução". Em outras palavras, planejávamos construir uma nova rede de TV a cabo em cidades onde o sistema já estivesse bem estabelecido. Era óbvio que, para convencer os consumidores a mudar para a nossa nova rede, teríamos que oferecer um negócio melhor – um preço bem mais baixo, mas que ainda desse um retorno adequado ao investimento.

Percebemos que muitas outras empresas de TV a cabo tinham grandes dívidas resultantes da compra de equipamento dispendioso e do uso de mão de obra cara; depois tinham que pagar os juros daquela grande dívida e também precisavam dar aos acionistas um retorno do investimento. Além disso, ser uma empresa de capital aberto normalmente significa tarifas contábeis e legais mais altas.

Entre os fundadores, nossa empresa de televisão a cabo tinha eu (presidente de banco), um contador e um advogado. No começo, decidimos não fazer empréstimo, cada um de nós contribuiria com a quantia necessária, assim a empresa não teria dívidas. De imediato nossa nova firma tinha custos muito inferiores aos da maioria do ramo. Não ter dívidas nos permitiu cobrar muito menos pela mensalidade, o que atendeu ao critério de oferecer produto e serviço atraentes aos consumidores.

O grupo era realmente uma aliança de MasterMind, pois todos os investidores tinham o mesmo objetivo: obter um bom retorno para o investimento. Cada membro tinha uma riqueza específica de conhecimento para oferecer à empresa, o que aumentava muito a probabilidade de sucesso do empreendimento.

Depois de oito anos, nossa empresa de televisão a cabo foi vendida para outra grande companhia do ramo. A ideia havia amadurecido como um empreendimento muito bem-sucedido.

O mais importante é o que você se torna durante a jornada.

Seus planos são como um mapa de viagem, mostram os passos que você tem de dar. Seus planos com frequência são alterados, mas isso só significa que você tenta outros passos, muda de direção ou faz o que for necessário. Se aonde você quer ir é importante, continue tentando. Sugiro até que mantenha à mão um lembrete.

Em suas palestras, Napoleon Hill costumava perguntar à plateia quantas vezes a pessoa comum tentava alguma coisa antes de desistir. As pessoas geralmente respondiam uma, duas, três vezes. Hill replicava que a média era menos que uma vez, porque muita gente nem começava.

W. Clement Stone, fundador da Combined Insurance (hoje AON), começou com US$ 100 e transformou a empresa em um império de várias centenas de milhões. Ele é conhecido por ter dito: "Apenas faça!".

Lembro de muitas vezes ouvir Stone, na época presidente da Fundação Napoleon Hill, comentar depois de ter escutado um membro do conselho: "Apenas faça". Ele distribuía milhares de *buttons* (ainda tenho o meu) com a inscrição "Just Do It" (apenas faça).

> *Nós nos tornamos como aqueles a quem nos associamos: um espelho reflete o rosto de um homem, mas o que ele é realmente é demonstrado pelo tipo de amigos que escolhe.*
> – PROVÉRBIOS 27:19

Aqui vai outra ideia importante: obtenha ajuda dos outros para progredir.

Em meus 38 anos de finanças, o número de histórias de horror que ouvi encheriam um livro. Embora este não seja um livro sobre imóveis, lembre-se de que essa foi a área em que muitos milionários fizeram fortuna.

Não dá para ser especialista em todos os assuntos. Lembre-se da história de Andrew Carnegie, fundador da empresa que se tornou a U.S. Steel. Carnegie precisou de contadores, advogados, químicos, pessoal de marketing e especialistas em outras áreas nas quais ele não tinha conhecimento. Embora não tivesse todas as respostas na área da siderurgia, Carnegie sabia o suficiente para selecionar pessoas que puderam ajudá-lo a se tornar extremamente rico.

Mais de uma vez, pessoas me procuraram no banco pedindo um financiamento imobiliário. Quando a solicitação era concluída, o banco levantava as informações de crédito para determinar se o solicitante pagava suas contas e tinha condições de restituir o empréstimo. O passo seguinte era procurar um avaliador licenciado e confiável para determinar o valor do imóvel. Isso se faz basicamente comparando a propriedade com outros imóveis da região vendidos há pouco tempo. Se o crédito, a renda e a avaliação estiverem em ordem, é emitido o certificado de pesquisa.

O passo seguinte é acionar um advogado para fazer um resumo do imóvel e verificar propriedade, impostos e quaisquer embargos relacionados ao bem. Julgamentos, embargo por impostos e outras alienações fiduciárias devem ser pagos antes, evitando assim que a propriedade seja confiscada por não pagamento. Em seguida, o advogado é instruído a emitir um título de propriedade para assegurar que o imóvel que o banco vai financiar está livre de embargos.

Muitas vezes deparei com gente que tinha escrituras com impostos por pagar ou sentenças emitidas e até situações em que os proprietários anteriores deixaram de colher a assinatura de todas as partes envolvidas antes de transferir a propriedade. Vi pessoas usando o próprio dinheiro ou até fazendo empréstimo bancário para construir uma casa sem obter um alvará do terreno e mais tarde descobrir que a casa havia sido parcial ou totalmente construída no terreno de outra pessoa ou não respeitava o recuo legal em relação à rua. Isso não teria acontecido se tivessem feito o levantamento.

Esteja você comprando um imóvel ou começando um negócio, um bom advogado é uma necessidade indiscutível. Contratar um advogado para evitar erros vai custar muito menos dinheiro e tempo do que ter de contratar um para consertar erros que poderiam ter sido evitados.

Robert "Bob" Johnson Jr, advogado da Fundação Napoleon Hill, é especialista em legislação de direitos autorais. Bob trabalhou por muitos anos para uma respeitada firma de advocacia de Chicago e se aposentou cedo, para trabalhar para a fundação, de forma que pudesse reduzir um pouco o ritmo frenético imposto pelas viagens e por longos expedientes. A fundação recebe regularmente centenas de perguntas, e o conhecimento de Bob nos salva de incontáveis horas de trabalho e evita problemas todos os dias.

Não aposte sem ter segurança, peça a ajuda de especialistas e você vai economizar dinheiro e tempo reduzindo o número de erros cometidos.

Não tenha medo de pedir, porque você nunca sabe que ajuda pode obter se tentar.

Uma vez comecei o projeto de um livro que levei dois anos para concluir e encontrar quem publicasse. Vou relatar apenas a parte da negociação que foi obtida por eu ter pedido ajuda. O livro, patrocinado pela Fundação Napoleon Hill, era baseado na história de R. U. Darby, apresentada em *Think and Grow Rich* – Darby desistiu a um metro de um rico veio de ouro.

Meu livro se concentrou desde o início em entrevistas com notáveis de hoje, fazendo a pergunta: "Quando as coisas ficaram difíceis em sua vida, por que você não desistiu?". O livro foi começado quando a economia estava em sério declínio, e isso me fez lembrar que Napoleon Hill escreveu o clássico *Think and Grow Rich* durante a Grande Depressão. Meu manuscrito, tendo Greg S. Reid como autor, foi submetido a vários editores, mas não atraiu o interesse que eu esperava. Era preciso mais profundidade e verniz.

Telefonei para Sharon L. Lechter e perguntei se ela se interessaria em ajudar no projeto. Eu sabia que Sharon era muito capaz e que seu conhecimento agregaria valor ao livro. Sharon era coautora de 14 livros da série *Pai rico, pai pobre,* que vendeu 27 milhões de cópias em cinquenta países. Contadora e membro do Conselho Consultivo em Educação Financeira do Presidente, Sharon tinha uma experiência em marketing que seria valiosa para vender o livro. Sharon aceitou o convite porque estava trabalhando em educação financeira com a Fundação Napoleon Hill e se orgulhava muito da associação.

Uma vez concluído o manuscrito, o contrato poderia ter sido assinado com várias editoras, mas sugeri uma específica, e Sharon e Greg concordaram. O motivo para a escolha dessa editora em particular era sua aparente disponibilidade para apoiar o livro e fazer dele um *best-seller*. Para obter o tremendo apoio necessário, solicitei uma reunião com o CEO da rede de livrarias que era dona da editora. Quando o editor recebeu o pedido para agendar a reunião, disse que não era habitual o chefe da empresa encontrar autores, mas encaminhou a solicitação assim mesmo. A resposta foi positiva, mas fomos informados de que não deveríamos gastar mais que cinco minutos do tempo do chefe executivo.

Na verdade, o executivo não nos deu cinco minutos, nos deu mais de uma hora para apresentarmos o livro. Não só nos deu um tremendo apoio, como também orientou a equipe de vendas a promover

Three Feet from Gold como nunca haviam promovido outro livro e disse que queria nosso projeto seguinte.

Assinado o contrato, o passo seguinte era a promoção. Juntos, os autores e a Fundação Napoleon Hill relacionaram milhares de amigos, e todos que foram convidados a ajudar o fizeram com alegria. Alguns mandaram e-mails ou postaram em seus sites, no Facebook, Twitter e outros canais. Alguns dos mais respeitados líderes do mercado editorial, como Bob Proctor, Harvey Ecker, Mark Victor Hansen, Les Brown, John Gray e Mark Sanford, se apresentaram para promover o livro. Todo esse apoio foi dado simplesmente porque pedimos, sem compensação monetária.

A essa altura espero que você perceba que pode aumentar muito seus resultados simplesmente pedindo ajuda àqueles que estão em condições de ajudar. É frequente que as pessoas mais bem-sucedidas em suas respectivas profissões também sejam as mais acessíveis e dispostas a ajudar os outros. Se tem um conselho neste livro de que você deve se lembrar, é: "É dando que se recebe".

O resultado de todos os pedidos e da ajuda dada foi que *Three Feet from Gold* chegou à lista de *best-sellers* da Amazon e da Barnes & Noble na primeira semana depois do lançamento. Nos Estados Unidos, cerca de duzentos mil títulos são lançados a cada ano, e só cerca de quinze mil chegam às prateleiras das principais livrarias.

Nunca tenha medo de pedir ajuda; caso contrário, é improvável que alcance a medida de sucesso que poderia alcançar com as associações certas.

Em um discurso do presidente Ronald Reagan pouco depois do atentado contra sua vida, ele citou o poeta Carl Sandburg: "A república é um sonho. Nada acontece a menos que se sonhe primeiro". Reagan também disse: "E é isso que faz de nós, americanos, diferentes. Sempre buscamos um novo espírito e almejamos um objetivo mais alto".

Quem não gostaria de ser bem-sucedido? Antes disso, porém, cada pessoa precisa definir o que significa o sucesso para ela. Se você nasceu em um ambiente de pobreza, seria natural enfatizar o dinheiro. Se você acredita que sucesso é definido pela quantidade de dinheiro que pode adquirir, provavelmente vai acreditar que, quanto mais dinheiro ganhar, mais bem-sucedido será.

Se a busca da felicidade se torna seu objetivo, você provavelmente vai descobrir que a riqueza medida pelo dinheiro não garante felicidade. O outro lado da equação é que a pobreza também não.

Muita gente, como eu, põe muita ênfase em ganhar dinheiro enquanto é jovem, mas depois descobre que essa ênfase mudou. No início, é provável que seja o desejo de ganhar dinheiro para satisfazer necessidades e vontades.

Espera-se que, com a maturidade, você perceba que dinheiro é só uma ferramenta que pode ser trocada por bens e serviços. Dinheiro pode ser usado para projetos que valham a pena, sejam esses projetos o custeio de bolsas de estudo, de ensino para ajudar a superar a desinformação financeira, de luta contra a pobreza, sejam milhares de outras coisas que possam ajudar os que estão em desvantagem e fazer do mundo um lugar melhor para viver.

Se você quer ser bem-sucedido, e presumo que seja essa sua intenção, mesmo que ainda não perceba, um objetivo definido é o ponto de partida. Se você não tem um objetivo definido, você pode ser definido como um andarilho errante. Andar à deriva pela vida não torna ninguém bem-sucedido. Estudando pessoas bem-sucedidas por mais de 45 anos, descobri que todas tinham em mente para onde iam.

Quando sabiam para onde iam, elas faziam planos, modificavam-nos se fosse necessário, obtinham ajuda quando precisavam do conhecimento de outras pessoas e persistiam até alcançar seus objetivos.

Há várias razões pelas quais ter um objetivo em mente ajuda a alcançar o sucesso. Para começar, o que você escolhe determina a necessidade do que tem que estudar, e você pode se tornar um especialista. Depois que adquirir a educação especializada, você será recompensado com trabalho e oportunidades apropriados.

Determinado seu interesse específico, você vai atrair oportunidades e outras pessoas que possam ajudá-lo. Quando se diz que os semelhantes se atraem, isso significa simplesmente que sucesso atrai sucesso e pobreza atrai pobreza. Posto de maneira simples, como se poderia dizer a um jovem que anda em companhias questionáveis: diga-me com quem andas e te direi quem és.

Lembre-se desses pontos e, mais importante, aplique-os, e você vai desenvolver uma crença em si mesmo que aumentará seu sucesso. Se outros alcançaram o sucesso, por que não você? A escolha é sua e só sua.

Já foi dito que ganhamos a vida com o que recebemos e que fazemos a vida com o que damos.

2

SUCESSO

Tenha sempre em mente que sua resolução de alcançar o sucesso é mais importante que qualquer outra coisa.
— ABRAHAM LINCOLN

Se você quer ser bem-sucedido, aqui estão os passos que o ajudarão a chegar lá. Você pode ler dúzias de livros sobre o assunto ou pode seguir esses passos simples e agir.

Se quer melhorar sua posição na vida, é preciso que aconteça uma mudança positiva. Aqui estão cinco coisas de que você precisa:

1. TER O DESEJO DE MELHORAR. Você pode se referir a isso como objetivo final, missão, propósito ou outro nome, mas deve ser uma obsessão ou paixão ardente. Deve ser tão forte que você viva, coma e vá para a cama com esse desejo e seja consumido pela necessidade de "ver" sua materialização.

2. ACREDITAR. Crença é um estado mental que o faz confiar que seu objetivo vai ganhar vida. Pode ser alcançado por afirmações frequentemente repetidas que se tornam parte do seu inconsciente. Você deve manter anotações ou placas onde possa vê-las diariamente, como lembretes constantes de seu objetivo.

3. Você gera ações baseadas na crença de que pode realizar seu objetivo de vida. Ações levam à prática. A prática perfeita leva à perfeição.

4. *Feedback*, QUE VOCÊ OBTÉM COMO RESULTADO DA AÇÃO. Se o *feedback* é negativo, como cair quando está aprendendo a esquiar, você deve encarar como uma lição, não como um fracasso. O tombo significa apenas que você precisa praticar mais, talvez com a ajuda de um instrutor profissional.

5. REPETIÇÃO. Repetir a ação até os resultados certos se tornarem um hábito.

Com disciplina construímos nossos hábitos, depois nossos hábitos nos constroem.

É claro que vai haver obstáculos temporários, mas lembre-se de que, se uma criança que está aprendendo a caminhar desistisse tão depressa como alguns adultos, essa criança nunca aprenderia a andar. Aprendi que poderia seguir os passos dados por outras pessoas bem-sucedidas para conseguir o que queria ou teria de inventar desculpas para explicar por que não consegui. Parece muito simples e de fato é fácil, mas adiar os passos também é fácil. Se você não está preparado para estudar e aplicar o que outras histórias de sucesso contam, precisa se preparar para dar desculpas.

Lembre-se de que o sucesso não requer explicação, mas o fracasso requer álibis.

Quando eu ainda era adolescente, meu "empreendimento" se chamava Jardim dos Répteis de Indian Mountain. O centro do empreendimento era o "poço das cobras", que abrigava umas cem cobras venenosas. As serpentes nativas das montanhas do sudoeste da Virgínia eram a cascavel-da-madeira e a cabeça-de-cobre. Comecei a adicionar alguns outros animais de pequeno porte em gaiolas à área atrás do poço das cobras – Tom, o lince-pardo, Stinky, o gambá, uma marmota albina, pavões e outras aves exóticas. Um pouco mais tarde, comprei três macaquinhos.

Em 13 de agosto de 2009, o *Coalfield Progress* publicou o seguinte artigo na coluna dedicada a reapresentar reportagens estampadas cinquenta anos antes: "Donald Green, 18 anos, um rapaz robusto que planeja ingressar na Faculdade de Clinch Valley no outono, ganha a vida administrando o Jardim dos Répteis de Indian Mountain, uma atração turística centrada em serpentes. Outros animais no pequeno zoológico são dois linces-pardos, uma marmota albina, galinhas, um esquilo voador e um macaco sul-americano".

Segue abaixo o artigo original na íntegra, publicado em 13 de agosto de 1959, cuja manchete dizia: "Cobras são a grande atração turística em no condado de Wise".

Bem, cobras vivas!
Tem muita gente, dentro e fora do condado de Wise, que não suporta nem ver qualquer tipo de cobra, mas um jovem de Indian Creek Mountain, na estrada entre Wise e Pound, ganha um bom dinheiro contando

apenas com as chamadas "criaturas escorregadias". Donald Green, 18 anos, um rapaz robusto que planeja ingressar na Faculdade de Clinch Valley no outono, é o administrador do Jardim dos Répteis de Indian Mountain – e parece gostar do trabalho.

A estranha ocupação de Green começou cinco verões atrás, quando ele e dois amigos discutiam a ideia de uma atração turística. Green mencionou que havia alguns "jardins de serpentes" na Flórida, e o trio começou a pensar nas possíveis vantagens de construir um empreendimento como esse em Wise.

Finalmente, o grupo decidiu arriscar, e a construção do Jardim dos Répteis de Indian Mountain começou. Logo o poço de répteis de dois metros de profundidade e a banquinha adjacente de souvenir ficaram prontos, exceto por um pequeno detalhe: não havia cobras!

O problema foi resolvido com facilidade. Os rapazes contrataram os serviços de Vic Bates, de Wise, que captura cobras há dezesseis anos, e viajaram para High Knob, perto de Norton, para uma expedição de caça às cobras. "Tivemos muita sorte em nossa primeira viagem", diz Green. "Capturamos muitas cascavéis e algumas cabeças-de-cobre imediatamente, sem grandes problemas."

Assim, com a construção completa e as cobras prontas para serem postas no poço, os meninos abriram o negócio. Mas, como em quase todo bom empreendimento, os jovens logo decidiram expandir o investimento, encomendando quatro cascavéis-diamante. "As cascavéis foram transportadas para Norton de trem", Green explica, "e acho que esse foi o frete mais caro que alguém poderia contratar."

Os répteis do Texas foram colocados no poço de blocos de concreto junto com os da Virgínia, e o empreendimento de Green começou a fazer sucesso. Mas Green não sossegou enquanto não expandiu novamente o jardim de répteis. Construiu gaiolas atrás do poço dos répteis e começou a planejar a aquisição de outros animais, além das cobras.

Um macaco sul-americano foi enviado para Wise e se tornou o orgulho e a alegria de Green. Mais animais foram adquiridos, e no presente o zoológico em miniatura abriga dois linces, uma marmota albina, galinhas e um esquilo voador. (Esquilos voadores não voam de verdade, explica Green. "Eles têm redes entre o corpo e os antebraços, mas, para ser preciso, eles planam, não voam.")

E o negócio do turismo continua progredindo, diz Green. "Vi carros de todos os estados dos Estados Unidos parados aqui nos dois últimos verões", ele se orgulha.

Então, na próxima vez que estiver pescando ou fazendo um piquenique e vir uma cobra tomando sol, pense duas vezes antes de fugir – pode ser o começo de uma nova e interessante ocupação.

A aquisição de que mais me orgulho foi um ursinho preto que havia sido capturado por índios e comprei em outro estado por US$ 100. Meu pai, um mineiro de carvão, pediu emprestado o caminhão de um colega de trabalho e levou o urso para o "poço de cobras", onde uma jaula havia sido construída. Dei ao pequeno urso o nome

Sammy, sem saber se era macho ou fêmea. Sammy ficava em uma jaula grande, de uns quatro por quatro metros, com uma área de dormitório, onde ele podia entrar por uma abertura.

Meu pai era reparador nas minas subterrâneas de carvão e entendia de eletricidade. Ele instalou lâmpadas de aquecimento nos dormitórios de Sammy, o urso, e de Buck, o macaco-urso.

Sammy era uma grande atração. Muitos visitantes pagantes nunca tinham visto um urso ao vivo antes. Eu ainda estava no ensino médio, mas tinha uma pequena mina de ouro. Primeiro as cobras eram uma atração, e muita gente visitava o local várias vezes durante o verão. Aluguei uma máquina de refrigerante e comecei a vender lanches, depois acrescentei os souvenires: cartões impressos, bandeiras e outras novidades que tinham altas margens de lucro.

Quando estava terminando o colégio, eu tinha poucos medos (o que era ingenuidade, provavelmente), e Sammy havia crescido depressa. Como parte da minha rotina, eu alimentava os animais antes de ir para a escola. Era comum eu entrar na jaula de Sammy e brincar com ele. Sammy ficava em pé sobre as patas traseiras e punha as dianteiras sobre meus ombros. Às vezes eu o empurrava, e ele caía de costas. Depois de alguns minutos, porém, ele ficava irritado, e eu saía da jaula depressa.

Um dia, quando eu estava na aula, alguém da diretoria avisou pelo sistema de som: "Se Don Green estiver em sala de aula, por favor, digam a ele que a mãe telefonou, o urso preto escapou da jaula e Don deve ir para casa".

Devo ter levado uns quinze minutos para chegar em casa, onde encontrei uma grande agitação. Ao sair da jaula naquela manhã, sem dúvida eu tinha fechado a porta, mas esquecido de trancá-la. Em algum momento Sammy havia empurrado a porta; como não estava trancada, abriu-se, e ele escapou. O urso estava maluco, correndo por lá e perseguindo os patos (matou um deles), e os macacos nas jaulas gritavam e faziam barulhos que eu nunca havia escutado antes.

Minha mãe estava morta de medo, sem dúvida queria me mandar para algum lugar. Hoje ela tem 89 anos, mas ainda se lembra nitidamente dos detalhes do dia em que meu urso chamado Sammy escapou.

Isso aconteceu há muitos anos, mas lembro bem. Não fiquei nem um pouco abalado e me diverti com o que estava acontecendo. Não vi o perigo, a possibilidade de um urso preto matar alguém. Monroe Moore, um vendedor de pão, havia parado ali (com muitas outras pessoas). Imediatamente tive a ideia de pegar uma caixa de bolos de aveia com o homem, pois lembrei que Sammy adorava doces. Quando me viu, Sammy percebeu que eu tinha alguma coisa para ele. Comecei a desembrulhar um bolo e joguei para ele. Ao mesmo tempo, eu andava de costas me aproximando da jaula. Quando consegui atrair Sammy para perto da porta, só restava um bolo, e o joguei lá dentro, perto da entrada.

Você pode estar se perguntando o que essa história tem a ver com este livro. Eu explico agora:

Às vezes, força, coerção, ameaças e intimidação podem funcionar, mas dar a alguém alguma coisa que ela quer ou de que necessita normalmente produz resultados melhores e mais duradouros. É como dizem por aí: pegamos mais moscas com mel do que com vinagre.

Essa lição se aplica ainda mais a pessoas: é muito mais provável que você consiga o que quer ajudando os outros a conseguir o que necessitam ou querem. Quando você trabalha com outras pessoas e aplica a Regra de Ouro, é recompensado. Dizem que você nunca consegue exercer influência sobre os outros sem antes aprender a exercer o controle sobre si mesmo.

> ## SUCESSO
>
> Ninguém pode definir sucesso para outra pessoa, mas o desejo de ser bem-sucedido é o ponto de partida para todo mundo. O sucesso deve trazer contentamento pessoal com a própria vida enquanto se luta para fazer do mundo um lugar melhor para viver. Um compromisso pessoal de fazer alguma coisa pela qual se tem paixão ajuda a desenvolver uma vida que realmente importa.
>
> James A. Brown Jr. me deu o primeiro emprego em um banco, e lembro-me da entrevista como se fosse hoje. Jim disse: "Se você fizer um pouco mais por um dia ou uma semana, pode não fazer diferença, mas, ao longo de anos, isso vai distingui-lo dos outros que apenas sonham com o sucesso".

Muitas vezes você pode se encontrar em uma posição na qual é capaz de ajudar alguém de um jeito que pode afetar profundamente a vida dessa pessoa e de outras para sempre. Quando eu era presidente do banco, alguns funcionários me pediram para pensar na possibilidade de dar um emprego a uma jovem chamada Janet. Ela havia sofrido uma tragédia na família, algo difícil até de imaginar. Era uma funcionária excelente e tinha uma atitude maravilhosa, mas às vezes se lembrava da tragédia, e aquilo era muito duro para ela emocionalmente.

Um dia Janet me falou: "Sabe, eu adoraria lecionar para crianças pequenas, mas levaria muito tempo para concluir o curso e ter um diploma". Perguntei quanto tempo levaria, e ela disse três anos. Então perguntei: "Quantos anos você vai ter daqui a três anos, se não for estudar?". Ela começou a rir, e eu tomei providências para que todos os cursos que Janet fizesse fossem pagos antecipadamente. Ela leciona para crianças pequenas e ensina música, coisas que ama profundamente, há vários anos.

Não só Janet foi uma excelente funcionária, como também, recentemente, fui recompensado por tê-la ajudado. Janet telefonou para o escritório da Fundação Napoleon Hill e perguntou se poderia passar por lá, porque queria que eu conhecesse Andy, seu genro, que havia retornado pouco antes da segunda temporada com os fuzileiros navais no Iraque. Enquanto estavam no meu escritório, Janet se lembrou de como havia voltado à faculdade. Hoje Janet tem um impacto esplêndido na vida de jovens.

Se você ainda não descobriu, espero que descubra que as melhores recompensas da vida não são de natureza monetária.

3

ADVERSIDADE E FRACASSO

Você ganha força, coragem e confiança com cada experiência em que realmente para a fim de encarar o medo. Você é capaz de dizer a si mesmo: "Eu sobrevivi a esse horror. Posso encarar a próxima coisa que aparecer". Você precisa fazer aquela coisa que acha que não é capaz de fazer.

— ELEANOR ROOSEVELT

Superar a adversidade se assemelha a alcançar um objetivo. Para superar a adversidade ou alcançar um objetivo, você não precisa conhecer todas as respostas antes de começar sua missão. Mas precisa ter uma visão clara de qual é seu objetivo ou do problema que está enfrentando. Nesse ponto, o mais importante é estar no caminho certo.

Para começar a resolver um problema ou tentar alcançar um objetivo, você deve antes determinar o que quer no futuro. Albert Einstein disse: "Em meio à dificuldade está a oportunidade".

Você deve lembrar sempre que, embora possa saber o que quer e ter uma boa ideia de como conseguir, a menos que seja inspirado a fazer o esforço necessário, você não será um sucesso. Porém, quando elevar seu desejo a uma paixão ardente, você encontrará os meios para realizar o que quer. Não terá todas as respostas, mas acumulará respostas e assistência dos outros quando estiver inspirado o bastante para começar sua jornada para o sucesso.

Pessoas bem-sucedidas começaram usando o que sabiam, mais o conhecimento que adquiriram durante o trajeto. A inspiração as fez seguir em frente mesmo quando havia obstáculos no caminho.

Em *Um sentido para a vida*, livro emblemático de Victor Frankl sobre seu confinamento no campo de morte nazista de Auschwitz, ele disse ter descoberto que o homem encontra um "como" quando tem um "porquê". Um objetivo ou um obstáculo será enfrentado com sucesso ou superado quando o porquê se desenvolver em uma paixão ou desejo ardente de superar o que surgir no caminho para o sucesso.

Winston Churchill se expressou muito bem quando disse: "Sucesso é ir de fracasso em fracasso sem perder o entusiasmo". Essa é a razão pela qual muita gente começa com um destino específico e não desiste até chegar lá. Aqueles que conhecem seu destino e têm um forte desejo de alcançá-lo não param até conseguir. Além disso, há uma razão principal pela qual muitas pessoas fracassam: elas não começam. Simplesmente não começam, ou começam, mas param diante do menor obstáculo no caminho.

Como colocou o escritor Frank Clark: "Se você conseguir encontrar um caminho em que não haja obstáculos, ele provavelmente não levará a lugar nenhum". A jornada provavelmente não será tranquila, mas você vai aprender com seus fracassos, às vezes mais do que com seus sucessos.

Enquanto estiver em sua jornada, lembre-se de que cada um de nós deve fazer do mundo um lugar melhor onde viver. O progresso sempre foi o resultado do desejo de cada geração de fazer do mundo um lugar melhor para a geração seguinte.

Adversidade é o pó de diamante com que o céu lapida suas pedras preciosas.

— THOMAS CARLYLE

Mais cedo ou mais tarde você vai aprender que promovemos nossa felicidade na exata medida em que contribuímos para o conforto e a felicidade dos outros.

Para superar obstáculos e dificuldades, é necessário que estejam sempre presentes a firmeza no progresso e a determinação em alcançar o sucesso. Lembre-se do que disse o escritor Elbert Hubbard: "O maior erro que você pode cometer na vida é viver o tempo todo com medo de errar".

Se você desiste com facilidade, se fica desencantado quando seus objetivos são bloqueados, se acha que deve esperar até todas as condições serem favoráveis e o progresso parecer fácil, é bem provável que não vá muito longe no mundo acelerado de hoje. As circunstâncias possivelmente nunca serão tais que o sucesso esteja garantido, e nunca vai haver um tempo que sejam ideais, e a razão pela qual muita gente nunca chega ao sucesso é esperar pelas circunstâncias perfeitas.

Obstáculos existem não para bloquear o trajeto, mas para servir de degraus no caminho da vida.

Além disso, o próprio esforço para superar os obstáculos que prejudicam o progresso servirá para deixá-lo mais forte na busca dos objetivos. Como afirmou com grande habilidade o escritor John Neal: "Certa medida de oposição é uma grande ajuda para o homem. Pipas sobem contra, não a favor do vento".

Aquela bruxa velha – A má sorte

Qual pensamento ocupa sua mente?
Alguma vez o medo a consegue invadir?
Caso sim, passe para o próximo imediatamente,
Pensando que vai conseguir.

— EDGAR A. GUEST

Se você enfrenta o infortúnio e a chamada má sorte e parece estar sempre no lugar errado na hora errada, você não está sozinho. Se é aí que se encontra, você precisa aprender depressa que *você* é a causa de todo problema que o acomete.

Medo é simplesmente um resultado do pensamento criativo. Apesar de o pensamento criativo ser útil, ele é útil apenas na forma positiva. Pensamento criativo negativo cria medo.

Na Bíblia, lemos a afirmação de Jó: "Aquilo que temia me sobreveio". Pânico e medo não se desenvolvem a menos que seus processos de pensamento sejam negativos. Um exemplo do processo de pensamento e o que ele pode fazer com você: Shakespeare disse que "não existe nada bom ou mau, mas o pensamento o faz assim".

Mesmo quando você tem desafios com que lidar ou dificuldades a superar, não há nada a temer. As coisas que acontecem são efeitos de seu processo mental. Você precisa se concentrar somente nas coisas boas e nas coisas que deseja. Quaisquer pensamentos negativos ou preocupações com pobreza ou doença devem ser removidos de sua mente.

Cada um de nós tem sucessos e fracassos. Deixe os fracassos serem lições aprendidas, mas não se demore neles porque você pode se agarrar ao passado com tanta força que não vai sobrar tempo para abraçar o futuro.

Sir Edmund Hillary, o montanhista, escreveu: "Não é a montanha que conquistamos, mas a nós mesmos".

Se você tem mesmo que passar o tempo pensando no passado, lembre-se dos sucessos, por menores que pareçam. Sucessos anteriores o incentivam a ser persistente.

Você deve se energizar estudando a vida de pessoas que superaram a adversidade, sejam elas famosas ou não. A vida de outros pode ser uma inspiração e demonstrar a cada um de nós que exemplos são normalmente um grande benefício para aprendermos o que podemos realizar. O romancista Henry Fielding apontou com sabedoria: "Adversidade é o julgamento do princípio. Sem ela, um homem não sabe se é honesto ou não".

Suas chances de ser bem-sucedido serão limitadas se você tiver tanto medo do sucesso que não tente superar os desafios e adotar novas ideias para subir a escada do sucesso. Alexander Graham Bell nos lembrou: "Quando uma porta se fecha, outra se abre; mas é comum olharmos por tanto tempo e com tanto pesar para a porta fechada que não vemos a que se abriu para nós".

Se na infância desistíssemos de caminhar ao primeiro tombo, nunca aprenderíamos. Precisamos repetir nossas tentativas muitas vezes, seja aprendendo a caminhar, seja decorando o alfabeto ou a tabuada, até podermos cumprir a tarefa quase sem esforço.

Quando a criança cresce, os pais muitas vezes querem protegê-la de injúria, constrangimento ou outras coisas que consideram contrárias aos interesses dos filhos. Dão conselhos como "não entre na água antes de aprender a nadar" ou "não atravesse a rua". Quando o filho fica mais velho, sua vontade de estudar em uma das melhores universidades pode ser prejudicada por uma afirmação do tipo: "Só pais ricos podem mandar os filhos para escolas como essa". Pais bem-intencionados podem prejudicar de tal modo a ambição de um filho com afirmações negativas que ele desiste de tentar fazer o que seria melhor para seu futuro.

A única coisa que devemos temer é o próprio medo.
— FRANKLIN D. ROOSEVELT

O medo tira sua força e cria inatividade, o que significa que, mesmo que você tenha ideias e planos, não vai dar os passos necessários para alcançar seus objetivos.

A maioria dos medos que deixamos dominar nossa vida não tem justificativa ou base em fatos.

As pequenas coisas que sabemos que usamos para deixar o medo se instalar simplesmente não resistem à análise da informação. Muitos estudos diferentes mostram que cerca de 60% a 70% das coisas que tememos nunca acontecem. Portanto, nossos medos são em sua maioria sem fundamento.

Esses estudos relacionados ao medo relatam que cerca de 5% de todos os medos têm uma base válida e são, portanto, justificados. Isso significa que os outros 95% dos medos envolvem coisas do passado sobre as quais não temos controle ou itens sem importância que farão bem pouca diferença.

Ainda que 5% dos nossos medos sejam coisas que não devemos ignorar, devemos trabalhar para a realização dos nossos objetivos. Objetivos nos dão energia, e, apesar de nem sempre respondermos à razão, agir vai nos ajudar a eliminar os medos que desenvolvemos. Permanecer focado no objetivo ajuda a manter positivo, e, embora a mente seja complicada, ela não pode abrigar pensamentos negativos e positivos ao mesmo tempo. Também é importante que você se concentre naqueles itens que pode controlar e aprenda a ignorar os que não pode.

Encarar e superar seus medos, mesmo que pequenos, vai dar confiança e ajudar a enfrentar os medos no futuro.

Um exemplo é o medo de falar em público, que para muita gente é maior que o medo de morrer. Depois que uma pessoa fala em público, sua confiança aumenta a cada repetição da experiência. O perigo é que, se não reconhecermos nossos medos e não agirmos, esses medos podem nos tornar inativos, e nos tornaremos fracassos na vida.

Quando eu era adolescente, saí com alguns adultos e aprendi a capturar cobras venenosas, a maioria delas cascavéis. Geralmente, as pessoas têm um tremendo medo de cobras. Porém, muitas não são venenosas, e não há motivo para temê-las. Por exemplo, nas montanhas da Virgínia, onde eu moro, só existem dois tipos de cobras venenosas, a cascavel-da-madeira e a cabeça-de-cobre. Da mesma forma que mais ou menos 95% dos nossos medos não têm base, não há razão para o observador temer as outras serpentes.

Como com nossos medos, se você estuda cobras e aprende a reconhecer as perigosas, pode remover o medo. Além disso, cobras venenosas mordem quando são ameaçadas; se tiverem espaço, elas recuam. A melhor proteção é o conhecimento e a percepção de que cobras venenosas não podem atacar com sucesso se você mantiver uma distância mínima equivalente ao comprimento dela.

O motivo pelo qual superei todo o medo de cobras venenosas foi o dinheiro. Como contei no capítulo anterior, eu exibia as cobras em um poço de serpentes, e os visitantes pagavam para olhar para elas. Nos bons dias, era comum eu ganhar US$ 100, e nos anos de 1950 essa era uma quantia imensa para um adolescente. O fato de ganhar aquele dinheiro com meu esforço fazia dele uma recompensa muito mais gratificante do que se tivesse sido um presente.

Muitos dos nossos medos têm pouca base. Lembre-se: a questão não é tanto o que acontece conosco, mas como respondemos ao que aconteceu.

Quando as crianças crescem em uma casa com pais alcoólicos, algumas escolherão ser abstêmias, enquanto outras se tornarão alcoólicas. Os dois grupos têm o mesmo ambiente, mas reações completamente opostas. Porém, o fracasso pode servir a um propósito, porque nos dá a chance de aprender alguma coisa.

Nunca conheceremos alguém que não tenha cometido erros no passado. Pessoas bem-sucedidas aprendem com o fracasso, enquanto as que não alcançam o sucesso aceitam o fracasso e desistem de tentar. Cada tentativa que fazemos para alcançar o sucesso traz consigo a possibilidade de fracasso, mas você simplesmente não pode conquistar o sucesso na vida sem aceitar o fato de que o fracasso significa simplesmente que você tem a chance de testar outro plano.

Uma coisa que aconteceu naquele tempo do "poço das cobras" foi que um visitante me pagou com um dólar de prata. O cliente era de Ohio, e me lembro nitidamente daquele dia porque ainda tenho aquele dólar de prata. Como colecionar moedas é um dos meus *hobbies*, tive milhares de dólares de prata norte-americanos, mas arranhei "Phyl" na cara daquela moeda (não foi uma boa ideia). Phyl era minha namorada na adolescência e agora é minha esposa e mãe de minha linda filha, Donna.

Lembre-se de que, se o medo invadir sua mente e ficar lá, vai frear seu movimento rumo à realização.

Muita gente deixa o pensamento negativo afetar as decisões que toma e as ações que realiza ou deixa de realizar. Pessoas negativas escolhem permanecer em uma zona de conforto, embora fossem ter maior chance de sucesso se usassem pensamentos positivos para remover seus medos e agir.

O presidente Dwight D. Eisenhower disse: "Pode-se obter elevado grau de segurança em uma cela da cadeia, se isso é tudo que se quer da vida". Para ser bem-sucedido e alcançar o objetivo desejado, é preciso correr riscos.

"Muitos fracassados na vida são pessoas que não perceberam o quanto estavam perto do sucesso quando desistiram." Essa afirmação foi feita por Thomas Edison, provavelmente o mais famoso inventor que o mundo já conheceu.

FRACASSO

Alguma coisa é um fracasso se leva você a desistir – seja depois de uma, seja depois de centenas de tentativas para realizar algo digno.

Muitas coisas na história poderiam ser chamadas de fracasso, como Thomas Edison e a lâmpada. Depois de dez mil tentativas, Edison simplesmente continuou olhando cada tentativa fracassada como uma razão para tentar outra coisa para dar uma vida mais longa à lâmpada.

Napoleon Hill contou a famosa história de R. U. Darby, que desistiu quando estava a um metro do ouro. Darby ficou frustrado e vendeu seu equipamento para um homem que recolhia sucata. Com a ajuda de um engenheiro, o novo proprietário encontrou ouro um metro adiante de onde Darby havia desistido. Desistir custou a Darby milhões de dólares, mas o ensinou a nunca desistir, e ele se tornou bem-sucedido como vendedor de apólices de seguro.

Richard M. DeVos, cofundador da Amway e dono do time Orlando Magic, da NBA, uma vez comentou: "Se eu tivesse que escolher uma qualidade, uma característica pessoal que considero a mais correlacionada ao sucesso em qualquer campo, escolheria a persistência.

> Determinação. A disposição para aguentar até o fim, ser derrubado setenta vezes e se levantar do chão dizendo: 'Aí vem a número 71!'".
>
> Lembre-se de que pouquíssimas pessoas tiveram sucesso em sua primeira tentativa em qualquer coisa digna de nota.

Cada tentativa é um risco, e todas podem falhar, mas cada tentativa malsucedida deve ser vista como um passo na direção do objetivo desejado. Albert Einstein normalmente é considerado um dos homens mais inteligentes da história, mas uma afirmação dele é muito interessante. Ele disse certa vez: "Não é que eu seja tão inteligente, é que fico com os problemas por mais tempo".

É um engano presumir que as pessoas chegam ao sucesso pelo sucesso; é muito mais frequente que cheguem ao sucesso pelo fracasso. As experiências com as quais as pessoas mais se beneficiam são os fracassos. Pessoas bem-sucedidas deixam os fracassos ensinar melhores formas de autogerenciamento e autocontrole, de modo que possam evitar os mesmos erros no futuro. Se você interrogar uma pessoa bem-sucedida, é bem possível que ela diga que aprendeu o segredo do sucesso por tentativa e erro, sendo frustrada, desafiada e até ridicularizada por aqueles que proclamavam: "Não dá para fazer".

Conseguir ajuda, estudar e refletir pode ser útil, mas não no mesmo nível em que o fracasso é professor. O fracasso pode ensinar disciplina, pode ensinar o que fazer e, provavelmente mais importante, o que não fazer.

Muitas pessoas bem-sucedidas decidem que vão persistir, mesmo que os fracassos continuem, até alcançarem o sucesso. Com a dose apropriada de persistência, os fracassos só aumentam a resolução de chegar ao sucesso. Um fracasso em uma área muitas vezes aponta outra direção em que a pessoa encontra grande sucesso. Talvez o fracasso indique outras áreas nas quais a pessoa seja mais adequada. É impossível calcular o número de gênios no mundo que chegaram ao sucesso por causa de seus fracassos anteriores na vida.

Em muitos casos, fracassos são as únicas lições necessárias para convencer alguém a assumir a responsabilidade e usar o conhecimento que adquiriu a fim de ter sucesso na próxima aplicação de suas habilidades e esforços. Temperado pelo calor, o aço fica maleável para poder ser moldado em objetos úteis, e o mesmo vale para muitas pessoas bem-sucedidas. Muita gente foi temperada na fornalha das provações e dos problemas e só então, pelo fracasso em tentativas anteriores, finalmente alcançou o sucesso e a recompensa por seus esforços.

Desistir por causa de um, dois ou até mais fracassos é um erro muito grave. Na guerra, os melhores generais são aqueles que sofrem derrotas, mas depois se reorganizam e no final são vitoriosos. A vida é como uma guerra com muitas batalhas a serem travadas, mas o verdadeiro vencedor, mesmo enquanto ainda sofre pelos fracassos recentes, faz planos e direciona os esforços necessários para obter a vitória desejada.

Não devemos permitir que visões tendenciosas prevaleçam sobre o que sabemos de pessoas e eventos. O fracasso dos nossos planos iniciais não significa o fim do mundo ou a destruição da vida. Fracassos atuais, se acontecem, servem para ensinar cuidado e mais persistência no futuro para que se possa obter um merecido desfecho para os esforços.

Você não deve se deixar cair em apatia e desespero. Não pode se dar ao luxo de desistir só porque ainda não alcançou o sucesso. Tire um tempo para refletir sobre os milhares de tentativas de Thomas Edison antes de desenvolver a lâmpada que queria.

Leia e estude a vida de Helen Keller. Cega e surda desde a infância, Keller superou grandes desvantagens por meio da linguagem dos sinais e da escrita. Ela escreveu: "O caráter não se desenvolve na facilidade e na tranquilidade. Só pela experiência da provação e do sofrimento pode a alma ser fortalecida, a ambição inspirada e o sucesso alcançado".

Leia sobre a vida de Booker T. Washington ou algum outro grande americano. Isso o inspirará a lutar pelo sucesso que busca. Nascido escravo, Booker T. Washington tornou-se um dos americanos mais bem-sucedidos de seu tempo – final do século 19 e começo do 20 –, e uma afirmação que ele fez é válida até hoje: "Aprendi que o sucesso deve ser medido não tanto pela posição que a pessoa tem na vida, mas pelos obstáculos que superou enquanto tentava alcançar o sucesso... Pela luta dura e incomum que teve de enfrentar, ela obtém uma força, uma confiança que faltam àquele cujo caminho é comparativamente tranquilo em razão de nascimento e raça".

A maneira como você vê um fracasso faz toda a diferença do mundo. Fracasso só é o fim se você o interpretar como tal; em vez disso, você pode vê-lo como uma lição de que precisa para mudar seus planos e colocar outros em ação para obter os resultados desejados.

A ideia de que existe alguém que nunca fracassou é um mito. Todo sucesso é uma sucessão de esforços que, quando olhados de perto, são vistos mais ou menos como fracassos. Muitas vezes esses esforços não são visíveis aos outros, mas cada fracasso é dolorosamente óbvio à pessoa que acalentou um plano só para vê-lo acabar em fracasso. Depois de falhar uma, duas ou muitas vezes, o desânimo pode fazer você parar de tentar, mas lembre-se de que o fracasso é a experiência passada de cada pessoa bem-sucedida.

A pessoa mais bem-sucedida é frequentemente aquela com mais fracassos. Babe Ruth deteve o recorde mundial de maior número de *home runs* por muitos anos, mas também era o recordista de *strikeouts*. Isso significa simplesmente que a natureza humana nos permite lembrar do sucesso e pensar pouco ou nada nos fracassos, mas os fracassos são uma parte necessária da jornada para o sucesso.

Existe uma história interessante sobre Babe Ruth: quando perguntaram o que ele pensava depois de um *strikeout*, Ruth disse que pensava no arremessador seguinte que iria enfrentar, pois sabia que estava mais perto de seu próximo *home run*. Devemos tratar nossos fracassos da mesma maneira.

Pessoas fracassadas normalmente não vão além do primeiro fracasso, ficam para trás, se esforçam pouco, depois se conformam com uma vida de insatisfação. Ao desistir, essas pessoas abrem mais espaço para aquelas que se recusam a desistir. A afirmação de que sempre há espaço no topo é confirmada por aquelas pobres criaturas que não entendem os princípios do sucesso. Seria difícil encontrar uma pessoa bem-sucedida cujo sucesso não tenha sido possibilitado por fracassos e que não tenha descoberto posteriormente que esses fracassos foram bênçãos. Sucesso é resultado de perseverança, esforços determinados e, acima de tudo, fracassos; porém, pessoas bem-sucedidas veem seus fracassos não como obstáculos, mas como degraus. Se o sucesso viesse sem esforço, onde estaria o grande sucesso do futuro?

É a decisão corajosa de fazer melhor na próxima vez que cria a base para toda real grandiosidade. Muitas reputações foram destruídas por sucesso prematuro. Frequentemente é mais difícil lidar de modo responsável com o sucesso do que com o fracasso. Pessoas que alcançam o sucesso muito cedo na vida podem se permitir parar de tentar e contar em grande parte com as realizações do passado. Elas não percebem que só o trabalho torna qualquer sucesso certo e que é pelo uso do trabalho e da energia que o fracasso desperta o indivíduo para a necessidade de realizar. Em muitos casos, porém, o despertar acontece tarde demais!

Fazer um esforço extra vai destacá-lo dos 95% de pessoas que nunca desenvolvem seu potencial.

Esse é um dos mais simples princípios do sucesso, mas é aquele que a maioria não pratica. O princípio do esforço extra não significa que você tenha que fazer o dobro do esforço para ter sucesso de verdade. Vou dar um exemplo simples do que quero dizer.

Na Liga Principal de Beisebol, muitos jogadores têm contratos longos que somam milhões de dólares. Alex Rodriguez tem um contrato de US$ 252 milhões. Um jogador que rebate dez vezes e consegue dois *hits* tem uma média de rebatida de .200; a menos que melhore, em pouco tempo não estará mais na liga principal. Se esse mesmo jogador, por meio do desenvolvimento da habilidade e do treino, vai ao *plate* dez vezes e consegue três *hits*, aumenta sua média para .300. Um rebatedor .300 nas ligas principais pode controlar seus termos e condições.

Pense: no primeiro exemplo, ele conseguiu dois *hits* a cada dez jogadas e não alcançou o sucesso; mas, quando melhorou e chegou a três *hits* em dez jogadas, começou uma excelente carreira. O que mudou foi apenas mais um *hit* a cada dez rebatidas. Ele melhorou 10%, e essa melhora de 10% vai fazer toda a diferença em uma carreira nas ligas principais.

O mesmo princípio pode ser usado na vida. Durante um tempo, se você melhora só um pouco, o efeito acumulado rende grandes recompensas. Por que alguém não faria um pouco mais para ter grandes recompensas? O autor e palestrante Jim Rohn diz que o motivo pode ser atribuído ao mistério da mente. Não podemos induzir os outros a fazer sempre um esforço extra, mas não há razão para cada um de nós deixar de fazer esse esforço extra na vida diária, tanto profissional quanto pessoal. As recompensas podem não ser imediatas, mas o princípio funciona todas as vezes.

Você simplesmente não pode colher o que não plantou. Fazer um esforço extra confere o direito de ter um retorno maior. Experimente. Você não vai se arrepender.

Quando eu estudava na Faculdade de Clinch Valley (hoje Universidade da Virgínia-Wise), assisti às aulas de história da arte de Betty Gilliam e gostei muito. Aprendi a apreciar arte, mas não me tornei um especialista, embora pudesse pensar que sim. Tive algum sucesso inicial localizando uma pintura a óleo, fotografando a obra e oferecendo à Sotheby's (uma das maiores casas de leilão no mundo). A Sotheby's fez os arranjos para pegar minha tela, cuidar da embalagem e do transporte e ficar com ela. A Sotheby's pôs uma fotografia da tela em seu catálogo, distribuído para colecionadores de arte no mundo todo. A pintura foi um sucesso, e eu pensei: "Isso é fácil".

Eu também estava colecionando arte russa e consignei algumas peças para uma casa de leilão em Washington, D.C. Parecia bem simples: era só despachar as pinturas, providenciar o seguro, deixar a casa de leilões vender e receber um cheque polpudo. Isso porque eu havia sido bem-sucedido antes de ter muito conhecimento, para dizer o mínimo. Porém, cometi um grande erro: não especifiquei um preço mínimo, e boa parte das obras foi vendida por menos do que paguei por elas. Depois de pagar custos como comissões, perdi dinheiro.

Isso foi um fracasso? A resposta é não, porque aprendi uma lição muito valiosa: não se pode presumir que o preço de venda vá ser lucrativo. Eu não precisava do dinheiro, mas estava gostando do mercado de arte. Nas vendas posteriores, especifiquei um valor mínimo para impedir que a mesma coisa se repetisse.

Se isso acontecesse com outras pessoas, a maior parte desistiria, por ter fracassado. Eu não fracassei, mas aprendi uma lição que seria de benefício no futuro, ao continuar comprando e vendendo arte e outros colecionáveis.

Nem sempre se pode acertar, mas sempre se pode usar o fracasso temporário para aprender. O grau em que você aprende a lidar com a adversidade vai determinar a extensão em que conhecerá o sucesso. Quer trabalhe para outras pessoas ou para si mesmo (como autônomo), cada vez que você superar a adversidade, a realização vai aumentar seu valor pessoal. Seu valor no ambiente de trabalho vai melhorar cada vez que você enfrentar a adversidade e resolver um problema.

Quando um esforço não produz os resultados desejados, você pode aceitar como fracasso ou como lição. A visão que terá disso será da maior importância e vai determinar em grande medida se você desfrutará do sucesso.

Encarar uma adversidade como lição vai ajudar a fazer de você um sucesso no futuro. Quando for bem-sucedido, você vai descobrir que não precisa se justificar. O sucesso não requer explicação, mas, quando uma pessoa aceita o fracasso, sua vida provavelmente será repleta de desculpas, álibis e atribuição de culpa por seu quinhão na vida.

Por experiência própria, posso dizer que se aprende muito mais com esforços que inicialmente fracassam do que com esforços que dão certo.

4

PROPÓSITO E CRENÇA

"Se podes?", disse Jesus. "Tudo é possível àquele que crê."
— MARCOS 9:23

Depois de escolher seu principal objetivo na vida e fazer planos para alcançá-lo, você estará menos propenso a desistir caso um plano traçado anteriormente fracasse. Tendo desenvolvido seu maior propósito na vida, a paixão que ele cria vai gerar mais autodisciplina, autoconfiança e entusiasmo. Quando começar a trabalhar nos seus planos, você vai ver a iniciativa pessoal começar a ajudá-lo e reconhecer que aqueles que têm um propósito, um plano e iniciativa pessoal são as verdadeiras histórias de sucesso. Propósito ajuda a desenvolver a fé, e com essa fé, confiança em si mesmo e crença, você vai ter sucesso em seu maior propósito na vida.

A visão nos ajuda a ver as coisas como elas podem ser, não como são. O Velho Testamento diz: "Sem uma visão o povo perece". Embora seja importante estudar história, acho que a preferência de Thomas Jefferson pela visão de futuro, em vez da história passada, reflete o fato de que para onde vamos é mais importante do que de onde viemos.

Visualizar é "ver" um resultado positivo e agir para fazer essa visão se tornar uma realidade. Desenvolva uma crença tal que, ao olhar para o espelho, você possa dizer a si mesmo: "Se é para ser, depende de mim". Quando acreditar em si, você vai dar os passos necessários para continuar na direção certa e persistir até alcançar seu objetivo.

Em *Grow Rich! With Peace of Mind*, Napoleon Hill disse: "Quando você fala em fracasso, atrai fracasso. Quando fala em sucesso, você atrai sucesso". Napoleon Hill estava dizendo ao leitor que as pessoas que fracassaram foram aquelas que continuaram vivendo com seu fracasso. Essas pessoas viviam no passado, revivendo o sofrimento do que aconteceu com elas. As que alcançaram o sucesso falavam do futuro. Sua atenção concentrada estava no futuro. Deixaram o fracasso no passado e direcionaram o esforço para o futuro.

Notei em minha carreira que as pessoas bem-sucedidas tendem a falar bem de outras pessoas bem-sucedidas. Fracassados ou aqueles que estão a caminho do fracasso frequentemente falam de quem é bem-sucedido com inveja ou maldade.

Quando eu trabalhava em banco, era comum um cliente me procurar depois de ter ido a outra instituição. O cliente enumerava todas as condições favoráveis propostas pela concorrência. Eu ouvia e dizia o que podia oferecer sem falar mal dos concorrentes. Em vez disso, prometia atenção personalizada e garantia que o banco era de propriedade local, com decisões tomadas localmente e financiamentos concedidos localmente. Em outras palavras, falava de maneira positiva sobre o meu empregador sem ser negativo em relação aos outros bancos.

O poder de escolha é uma importante ferramenta disponível a cada um de nós. Escolher significa tomar uma decisão. Mesmo que não façamos nada, fizemos uma escolha. No fim da vida, a posição que ocupamos é resultado das escolhas que fizemos. Se fizermos basicamente escolhas melhores, podemos esperar resultados melhores.

Em seus famosos livros, como *Quem convence enriquece*, Napoleon Hill comparou nossas escolhas a receber dois envelopes selados quando nascemos, cada um deles com as ordens que vão governar nossa vida. Um envelope conteria uma longa lista de bênçãos que o indivíduo receberia se tomasse posse da própria mente e a usasse para fazer as escolhas certas. O outro envelope conteria uma longa lista de consequências que a pessoa teria de enfrentar se não usasse seu poder de fazer as escolhas corretas.

Recentemente visitei minha mãe, uma mulher de 89 anos, depois de receber um telefonema informando que um dos meus irmãos havia ido visitá-la enquanto eu estava no Napoleon Hill World Learning Center. Quando estava na casa de minha mãe, ela quis saber minha opinião sobre ela comprar um carro novo. Eu disse que, se ela quisesse um, tudo bem – só que tivesse certeza do valor. Meu irmão mais novo perguntou: "Quanto tempo você vai dirigir? O carro que você tem provavelmente vai durar". Minha mãe respondeu: "Minha carteira de motorista é válida até meus 92 anos". Uma crença positiva é muito importante, não só para a duração de sua vida, mas também para a qualidade.

Cada indivíduo tem o poder de mudar sua posição na vida mudando a natureza de suas crenças.

A palavra *crença* não deve ser confundida com a palavra *desejo*. As duas não têm o mesmo significado. Desejar alguma coisa não faz acontecer. Fé no objetivo é pegar um desejo, progredir para uma crença e depois transformar essa crença em realidade, com ação.

Fé na capacidade de realizar um objetivo determinado é o começo de toda realização. Se Edison tivesse só um desejo e não tivesse fé em sua crença de que a eletricidade podia ser domada e uma lâmpada podia ser criada, a lâmpada incandescente não existiria hoje. Mais de dez mil tentativas deram a ele as informações sobre o que não funcionava. Edison finalmente descobriu o material certo que não só iluminaria uma sala ou uma cidade, mas também duraria um tempo razoável. Ele fez a descoberta porque acreditou que iria conseguir.

O estado mental conhecido como fé nos abre para outras fontes de poder e informação que provavelmente não encontraríamos caso não acreditássemos no que estamos tentando fazer. Não somos propensos a procurar a ajuda dos outros se não temos fé no que estamos tentando fazer.

Seja definido em tudo que faz e nunca deixe pensamentos sem conclusão em sua mente. Crie o hábito de chegar a decisões definidas sobre todos os assuntos.

Todo mundo nasce com a capacidade potencial de saber o que quer e a aptidão para conseguir. Cada pessoa nasce com o poder de escolher exercitar a prerrogativa de exigir o que quer da vida ou não.

Por que algumas pessoas alcançam o sucesso e outras fracassam, embora vivam na maior nação da Terra? Muita gente encontra o sucesso com o que pode parecer uma facilidade surpreendente. Muitos dos que fracassaram começaram melhor que os que alcançaram o sucesso. O que aconteceu? É evidente que os que conquistaram o sucesso tinham um sistema de crença que lhes dizia que, se fizessem certas coisas, conseguiriam o que queriam. Os que não tiveram sucesso nunca acreditaram que teriam. Os fracassados criam desculpas como não ter conhecido as pessoas certas, falta de educação ou de sorte ou simplesmente culpam todo mundo, menos eles, pelo fracasso.

Se não desenvolvemos a crença em nós mesmos, vamos passar pela vida sem chegar a realizações importantes.

Crença é a força poderosa que vai lhe permitir alcançar seus objetivos. Você precisa ter crença em si mesmo se quer ter resultados positivos.

Aqueles que têm fortes crenças costumam ser alvos de deboche, escárnio e até perseguição por suas crenças, ainda mais quando elas são radicais para a época. Um excelente exemplo é a descoberta das ondas do rádio por Marconi. Nascido na Itália em 1874, Guglielmo Marconi leu um artigo que sugeria a possibilidade de enviar ondas de rádio sem fios (a invenção do rádio) em 1894, quando frequentava uma escola particular.

Napoleon Hill escreveu sobre o sonho de Marconi de um sistema de domínio do éter em *Think and Grow Rich*. Um amigo de Marconi o levou a uma instituição psiquiátrica por causa da crença de que seria possível enviar mensagens pelo ar. Marconi começou a estudar a comunicação sem fio e registrou uma patente em 1896. Em 1901, conseguiu transmitir sinais através do oceano Atlântico. Marconi ganhou o Prêmio Nobel de física em 1909 por seu trabalho.

O motivo para a oposição a crenças diferentes é que as pessoas normalmente acreditam apenas no que querem acreditar e rejeitam crenças que contrariem as suas. Parece que muita gente não se sente confortável com mudanças. Já foi dito que as pessoas se opõem às coisas que não entendem e às quais não dedicam tempo ou esforço para aprender.

Nossas crenças sobre dinheiro e riqueza são muito importantes. No Novo Testamento da Bíblia, mais da metade das 24 parábolas são relacionadas a dinheiro. Dinheiro é muito mais citado que oração, e escreveram muito mais vezes sobre dinheiro do que sobre céu e inferno juntos.

O quanto nossas crenças são importantes? Ao longo da vida, elas vão determinar se somos vencedores ou perdedores. Vão determinar se somos parte das soluções da humanidade ou de seus problemas. Também vão determinar se deixamos um legado ou se vivemos uma vida sem importância.

Uma pessoa com conquistas valiosas é alguém que tem crenças capazes de criar imagens mentais daquilo que deseja para o futuro. Einstein disse que a imaginação era mais importante que o conhecimento. Com um sistema de crença, você pode ver imagens do que pode acontecer no futuro. Essas imagens o ajudarão a acreditar no futuro, desenvolver planos e ter a persistência para fazer esses planos se realizarem.

Eventos que somos capazes de promover acontecem porque as crenças que desenvolvemos são tão fortes que conseguimos nos apegar a elas até nossos planos e ações poderem realizá-las. A menos que você tenha uma forte crença naquilo que quer se tornar e desenvolva essa crença, é altamente improvável que desenvolva os planos e implemente a ação necessários para se tornar uma pessoa bem-sucedida.

Crença é uma força que o leva a agir; pode-se dizer que a crença o motiva a fazer o que tem de ser feito

para alcançar objetivos que você estabeleceu anteriormente para si.

Homens sábios do passado perceberam e falaram que somos o resultado de nossos pensamentos passados. Dizem que a esmagadora maioria morre sem perceber a verdade dessa afirmação simples. Se uma pessoa não entende a importância de seu processo de pensamento, provavelmente não se beneficia do uso apropriado de sua mente. O processo do pensamento não tem limitações, exceto aquelas que colocamos nele. "Você hoje está onde seus pensamentos o trouxeram; amanhã estará onde seus pensamentos o levarem", escreveu James Allen.

O budismo tem um preceito: "Tudo que somos é resultado do que pensamos". O simples fato é que sua mente e os pensamentos a partir dos quais você age são o que fazem de você a pessoa que é – bem-sucedida ou não.

Quando eu era criança, antes da idade escolar, meu falecido pai, que era mineiro de carvão, falava para mim e meus irmãos sobre as plantas que cresciam na área montanhosa do sudoeste da Virgínia, onde morávamos. Uma das plantas era chamada de mandrágora americana; uma vez colhida e deixada ao sol para secar, era vendida por alguns centavos o quilo. Meu pai falou sobre a raiz e mostrou a forma certa de tirá-la da terra. Eu colhi e vendi as raízes por alguns dólares; assim, mesmo ainda criança, desenvolvi a crença de que havia um jeito de ganhar dinheiro. Foram os maiores US$ 3 que já vi, porque eu sabia que havia feito alguma coisa para ganhar o dinheiro.

Essa cidade com todas as suas casas, palácios, motores a vapor, catedrais e enorme e incomensurável tráfego e tumulto o que é senão um pensamento, senão milhões de pensamentos feitos um — um enorme e incomensurável espírito de um pensamento personificado em tijolo, ferro, fumaça, poeira, palácios, parlamentos, carruagens, docas e todo o resto! Nenhum tijolo foi feito sem um homem pensar em fazer aquele tijolo.

O significado dessas palavras do escritor britânico Thomas Carlyle é que tudo começa na mente. Uma ideia é o começo de tudo. Cada evento, condição e coisa começa como uma ideia na cabeça de alguém.

Empreendimentos grandiosos como as pirâmides foram construídos num tempo em que coisas como maquinário não estavam disponíveis como hoje. Mas os antigos tinham sua mente, na qual conceberam projetos tremendos com tanta nitidez que conseguiram superar obstáculos que a maioria consideraria insuperáveis. As pirâmides foram construídas com pedras enormes, e os trabalhadores não tinham basicamente nada além das mãos. O que os trabalhadores tinham era o poder da mente, que não tem limite, exceto aquele que o indivíduo impõe a si mesmo.

Humanos têm mente criativa e são capazes de criar resultados que não existiam antes. Porém, é preciso que exista um pensamento antes de a mente poder funcionar. Lembre-se: em todos os casos, um pensamento existe antes de uma coisa. Vale a pena repetir muitas vezes que as ideias dentro da mente são limitadas apenas pelos limites impostos à mente pelo indivíduo.

Nossa atitude mental determina nossa condição e cada experiência que temos na vida. Só podemos fazer aquilo que pensamos que podemos fazer. O que

fazemos, o que somos e o que temos, tudo depende do que pensamos.

É fato que não podemos expressar nada que não tenhamos primeiro na mente. Se existe um segredo, é esse – todo poder, todas as riquezas e todo sucesso devem ser primeiro pensamentos construídos em nossa mente.

Lembro que, quando jovem, várias semanas antes do Natal eu não pensava em brinquedos ou roupas que poderia ganhar de presente. Pensava em maneiras de ganhar dinheiro. Pensava em árvores de Natal e folhagens para guirlandas que poderiam ser encontradas na floresta e as levava para a beira da estrada para vender às pessoas que viajavam naquela época do ano. O pensamento de ganhar dinheiro era tão forte e eu o imaginava tão nitidamente que a realização parecia garantida, como se já houvesse acontecido.

William James, o famoso professor e psicólogo de Harvard, disse que a maior descoberta de sua geração foi a do poder da mente inconsciente. Acredito que essa foi não apenas a maior descoberta de sua geração, mas também a maior descoberta de todos os tempos. As pessoas perceberam que tinham em si a habilidade de controlar seu ambiente. As pessoas são assim distinguidas dos animais por não estarem à mercê da sorte ou do acaso. Com essa descoberta, as pessoas podem projetar o próprio destino.

Um famoso livrinho que li há muitos anos e continuo lendo hoje com frequência, por sua poderosa mensagem, é *O homem é aquilo que ele pensa*, de James Allen. "Sonhe sonhos altos, e você há de se transformar naquilo que sonhou. Sua visão é a profecia daquilo que você um dia finalmente revelará", nos instruiu Allen.

A crença é importante porque a dúvida de que possa realizar as coisas que o levariam ao sucesso fará com que você deixe de dar os passos necessários para chegar lá. Toda a literatura disponível sobre sucesso não vai produzir uma pessoa bem-sucedida se a crença não estiver presente.

Como seres humanos, temos a tendência de ir para onde os pensamentos nos levam. O problema está no fato de pensamentos sobre fracasso, pobreza e coisas do tipo nos levarem a essas condições.

Não tenha medo de se comprometer. Compromissos podem construir ou destruir o indivíduo. Compromissos revelam quem você está se tornando. O que queremos ser é aquilo com que nos comprometemos. Ou você se compromete ou se torna uma bola de arbusto seco, simplesmente rolando ao sabor do vento.

Ter o poder de escolha significa que cada um de nós decide definir-se como vítima ou sobrevivente. Escolher ver-se como um sobrevivente confere o poder que existe dentro de sua mente para mudar as circunstâncias para melhor.

Faça uma escolha e desenvolva um hábito, e, como escolhas fazem hábitos, nossos hábitos depois nos fazem. Faça boas escolhas e pode esperar bons resultados; faça más escolhas e pode esperar maus resultados.

Como escreveu Napoleon Hill: "Fé é um estado mental que pode ser descrito como uma forma intensificada de autoconfiança". Fé em si mesmo é um salto gigantesco e necessário se você espera percorrer a estrada para o sucesso. Crença é um componente absolutamente necessário se a intenção é alcançar o máximo de resultados positivos. A afirmação "só vou acreditar vendo" deve ser "só vou ver acreditando".

Fé é essencial para se tornar bem-sucedido. A melhor definição de fé provavelmente é aquela encontrada no Novo Testamento, em

Hebreus 11:1: "Ora, a fé é a certeza daquilo que esperamos e a prova das coisas que não vemos". As coisas que você deseja podem se tornar realidade quando, com sua fé, você começa a ver ou visualizar seus desejos se realizando.

Fé é acreditar naquilo que ainda não se materializou. Visualização do objetivo e fé na possibilidade de realizá-lo o levarão a fazer planos e tomar as atitudes necessárias para transformar seus objetivos em realidade.

A fé em si mesmo é necessária para ser uma pessoa bem-sucedida. Coisas ou planos que buscamos realizar requerem fé em que podemos fazer e faremos as coisas que desejamos.

Lembre-se de que as pessoas acreditarão em você apenas tanto quanto você acreditar em si mesmo.

Crença é um estado mental essencial para resultados maximizados. Você pode dizer que crença é a fé em alcançar um desfecho positivo que pode ser usado para chegar ao sucesso. Crença é fé que deve ser ativa ou aplicada aos seus planos do dia a dia.

Você deve se relacionar com seu sistema de crença ou fé como uma fonte de energia, mas, se existe um segredo, é o seguinte: ação é um componente-chave. Ter a mente sob seu total controle vai permitir que você remova limitações que aplicou anteriormente a si mesmo ou permitiu que outros aplicassem.

A crença em si mesmo é uma característica que você pode desenvolver. Não significa ter um ego que diga que você pode tudo com pouco ou nenhum esforço.

A crença deve ser desenvolvida pela remoção de todos os pensamentos negativos de pobreza, doença e carência e pela seleção de um objetivo pelo qual você tenha paixão. Ter um objetivo ou propósito definido é o começo de todo o seu sucesso futuro.

Fazer planos de trabalho, alterá-los quando necessário, conseguir a cooperação de outros quando necessário e persistir sem desistir vai ajudar a criar um sistema de crença que o recompensará por toda a vida. Lembre-se de que, com desejo, planos e ajuda de outros, ação é a chave. Lembre-se da citação: "A fé sem ação está morta".

Você vai descobrir que seu sistema de crença é necessário para transformar desejo em realidade. Seu sistema de crença começa com a sugestão que você faz ao seu subconsciente. Uma crença é parte de você, dando a percepção de que você tem dentro de si a capacidade de realizar o que acredita que pode realizar, desde que assim deseje.

Primeiro e acima de tudo, uma vez desenvolvida a fé para realizar, você vai adquirir a força necessária para implementar o objetivo que tem em mente. Vai começar a notar coisas, ideias e pessoas que podem ajudar. A crença em si mesmo vai colocá-lo em contato com oportunidades de que você não tinha consciência antes de desenvolver essa crença.

Cada realização vai aumentar sua crença em si mesmo, e você realmente vai fazer parte da pequena minoria que usa a crença de modo positivo para alcançar alturas com as quais outros apenas sonham.

5

LIVROS

O homem que não lê bons livros não tem vantagem sobre o homem que não sabe ler.

— MARK TWAIN (1835–1910)

Livros podem abrir a porta e mostrar um mundo de novas ideias. Em muitos casos, os livros também podem mudar seus pensamentos e visão de vida. Livros contêm inúmeras histórias de jovens que superaram adversidades e chegaram ao topo – exemplos com os quais você pode se identificar e que sem dúvida o animarão e inspirarão a aprender com os outros, obter a melhor educação possível e fazer alguma coisa digna de si mesmo.

Quando você lê histórias inspiradoras, livros de desenvolvimento pessoal, biografias e autobiografias, provavelmente escuta uma voz interior dizendo que você também pode alcançar o sucesso. Lendo sobre o sucesso de outras pessoas e aplicando a visualização, você pode ver que as possibilidades de se tornar grande, como outros se tornaram, estão presentes em sua vida – mesmo que pareça que aqueles outros tinham bem poucas oportunidades de alcançar o sucesso.

Um livro pode despertar o gênio interior e permitir a realização de coisas maravilhosas, embora no início da vida a pessoa parecesse não estar fadada a grandes feitos. Os livros podem não só despertá-lo para o conhecimento de suas possibilidades, mas também criar o que Napoleon Hill e outros escritores chamaram de *desejo ardente* de realizar o tipo de grandes feitos com os quais muita gente apenas sonha. Livros podem induzir você e outros a expressar o que têm de melhor internamente, em vez de se contentar com realizações menores.

No popular livro de William M. Thayer *From Log-Cabin to the White House: Life of James A. Garfield,* escrito em 1881, o leitor *é* informado de que a vida de grandes homens é uma inspiração para os jovens. Esses grandes homens têm dentro deles perseverança, honestidade e outras virtudes necessárias ao sucesso. As qualidades de homens bem-sucedidos são verdades simples que eles demonstram por intermédio de seus feitos.

Que melhor maneira pode haver para a curiosa mente jovem aprender sobre sucesso senão estudando homens e mulheres que se tornaram bem-sucedidos pelas escolhas que fizeram e pelas ações que desenvolveram? Ralph Waldo Emerson escreveu: "Não existe propriamente história, só biografia". Se a afirmação de Emerson é verdadeira, ler e aprender com aqueles que alcançaram o sucesso é uma aventura lucrativa. Aprender sobre homens e mulheres bem-sucedidos nos negócios, na arte, na medicina, na educação ou em outras áreas que beneficiam a humanidade vai incentivar o leitor a se tornar bem-sucedido também.

O verdadeiro motivo para ler sobre homens e mulheres bem-sucedidos é aprender como eles chegaram ao sucesso. Essas biografias são todas verdadeiras lições de vida das quais o leitor pode extrair ideias e exemplos transformadores.

> ## LIVROS
>
> Poly I. Emenike cresceu pobre na Nigéria – um cenário longe do ideal para o sucesso. Poly leu os livros de Napoleon Hill e confere a eles o crédito por seu sucesso.
> Doutor em economia, Poly é presidente e CEO da Neros Pharmaceutical Company e humanitário e filantropo de destaque. O Neros Soccer Complex, na Nigéria, é resultado de suas contribuições. Como resultado de ter lido os livros de Napoleon Hill, Poly doou mais de um quarto de milhão de dólares para a Fundação Napoleon Hill, uma entidade sem fins lucrativos. Isso mostra o poder dos livros e o caminho para o sucesso.

Porém, os livros nos dão não apenas histórias ou exemplos que dizem o que fazer. Como na Bíblia (ou em clássicos como as *Fábulas de Esopo*), o leitor pode encontrar dois tipos de histórias completamente diferentes. Você deve absorver não só as histórias usadas como exemplos positivos, mas também aquelas usadas como exemplos negativos ou avisos. Basicamente, um tipo de história nos diz para fazer o que as pessoas fizeram, o outro nos diz para *não* fazer o que as pessoas fizeram. Antes de deixar um legado, tenha certeza de que as histórias que vai deixar são exemplos, não avisos.

O título de um livro pode ajudar a chamar atenção para esse livro. Com certeza, é o caso do clássico *best-seller* de Napoleon Hill *Think and Grow Rich*. Esse livro ainda vende centenas de milhares de cópias no mundo todo todos os anos. Por melhor que seja o título, *Think and Grow Rich* teria sido um sucesso com quase qualquer título – porque não é só o que está impresso na capa, mas o que está dentro dele é que faz de um livro um sucesso ou um fracasso. De qualquer maneira, não consigo imaginar nenhum leitor potencial que não fique intrigado com a promessa inerente no título de Hill. Também penso em livros contemporâneos como *O segredo* e *Os sete hábitos das pessoas altamente eficazes* como exemplos que atraem o interesse das pessoas apenas pelo título.

Todos os bons livros de desenvolvimento pessoal ou sobre sucesso devem ter histórias que aticem a imaginação do leitor. A esmagadora maioria desses livros relata histórias de indivíduos que começam em circunstâncias menos que favoráveis, mas alcançam o sucesso em diversas áreas do empreendimento humano. Todas as histórias de homens e mulheres bem-sucedidos mostram que essas pessoas exercitaram vontade implacável, se concentraram em objetivos dignos e foram persistentes enquanto seguiam de estágios mais humildes para posições de grande serviço e reconhecimento. Essas histórias verdadeiras mostram como homens e mulheres, às vezes começando na pobreza, costumam se esforçar diante de fracassos que teriam dado a muita gente motivo – ou desculpa – para desanimar e desistir.

Histórias de pessoas que vão do fracasso ao sucesso servem como exemplos do que pode acontecer e dos resultados de uma marcha à frente contínua.

Em fevereiro de 2004, eu estava em Palm Springs, Califórnia, e ouvi o finado apresentador Art Linkletter falar sobre o progresso ocorrido durante sua vida. Linkletter nasceu em 1912, quando a expectativa de vida de um homem nos Estados Unidos era de aproximadamente 47 anos (hoje está em torno de 78 anos). O aumento da expectativa de vida ocorreu no século 20. Esse tremendo progresso foi possibilitado por homens e mulheres que desenvolveram seus poderes ocultos para a melhoria da humanidade. O próprio Art Linkletter foi um exemplo perfeito. Ele viveu até quase os cem anos, inspirador e produtivo até o fim. Linkletter será lembrado para sempre por seu grande *best-seller Kids Say the Darndest Things*, que se tornou parte da linguagem corriqueira dos norte-americanos.

Meu finado amigo Charles "Tremendous" Jones, um autor conhecido, palestrante de primeira e proprietário da Executive Books, era amante, colecionador e vendedor de livros. Charlie foi tão influenciado pelos livros que doou milhares e milhares deles. Quando encontrava um livro que considerava ter uma mensagem valiosa, muitas vezes mandava não uma cópia gratuita para os amigos, mas uma caixa ou mais para distribuição, de forma que outros pudessem se beneficiar da mensagem.

Charlie também provou seu amor pelos livros com as doações para a Faculdade Bíblica de Lancaster, em Lancaster, Pensilvânia, cuja biblioteca tem seu nome. (Se você telefonar para a Executive Books no 1-800-233-2665 e tiver a sorte de ter que esperar para ser atendido, vai ouvir uma gravação deliciosa sobre livros enquanto estiver esperando.)

Alguém uma vez disse que líderes são leitores e, quando disse isso, mandou uma mensagem poderosa. Como prova dessa mensagem,

Life Is Tremendous, de Charlie Jones, vendeu mais de dois milhões de cópias e é leitura obrigatória no campo do desenvolvimento pessoal.

Antes de me tornar diretor executivo da Fundação Napoleon Hill, eu era curador da fundação, e o falecido W. Clement Stone era presidente do conselho. Fazia questão de me sentar ao lado de Stone nas reuniões do conselho e em outros eventos, como no lançamento do Napoleon Hill World Learning Center na Universidade de Purdue Calumet, em Hammond, Indiana. A Fundação Napoleon Hill era uma das maiores contribuintes da escola. O World Learning Center abriga os preciosos arquivos de Napoleon Hill. Dali a diretora Judith Williamson supervisiona o conteúdo educacional da Fundação Napoleon Hill, que inclui aulas, seminários, cursos online e educação extensiva em penitenciárias.

As origens de W. Clement Stone forneciam poucas indicações de que um dia ele seria tão rico que poderia doar várias centenas de milhões de dólares para causas de caridade antes de morrer, aos cem anos de idade. Stone cresceu na perigosa zona sul de Chicago com a mãe, que ficou viúva antes de Stone ir para a escola. Aos 6 anos, Stone estava nas ruas de Chicago vendendo jornais para ajudar nas despesas da casa. Aos 13, tinha a própria banca. A vida de Stone mostra as lições que ele aprendeu pela experiência e nos livros.

Clement Stone era grande leitor e colecionador de livros. Jovem, leu os livros do tremendamente bem-sucedido Horatio Alger – leu mais de cinquenta obras sobre sucesso e mais tarde chegou a ter várias centenas de publicações do gênero em sua biblioteca, que doou para a Fundação Napoleon Hill com milhares de outros livros de sua coleção. Essa valiosa coleção se encontra no Napoleon Hill World Learning Center.

Stone leu *Think and Grow Rich* quando foi lançado, em 1937. Deu o livro para seus empregados, e sua seguradora cresceu de um investimento de US$ 100 para uma empresa bilionária. Stone passou mais de sessenta anos elogiando a obra de Napoleon Hill e seu efeito positivo. Ele até usou como *ticker* de sua empresa na bolsa de valores as letras PMA, de "positive mental attitude" (atitude mental positiva), um dos princípios do sucesso.

Colecionei os livros de Horatio Alger e li as histórias – histórias sobre garotos que se tornaram bem-sucedidos e histórias sobre as qualidades humanas de persistência, honestidade e trabalho duro. Não só descobri que Stone lia e colecionava livros como os de Horatio Alger, mas também que James Oleson, amigo de Stone e presidente da Fundação Napoleon Hill, também lia e colecionava os livros de Horatio Alger. Pessoas bem-sucedidas são leitoras, e leitoras são líderes.

Se você não conhece Bernard Baruch, seria uma boa ideia ler sua autobiografia, *My Own Story*. No prefácio, Baruch conta que conheceu sete presidentes dos Estados Unidos, de Woodrow Wilson a Dwight D. Eisenhower. A autobiografia foi escrita quando Baruch tinha 87 anos. Na juventude, ao ver as realizações de outras pessoas, foi levado a tentar fazer a mesma coisa. Baruch conta ao leitor que descobriu que fracassos e erros eram professores muito melhores que o sucesso.

Nunca é demais ressaltar a importância de ler bons livros, como biografias, autobiografia, volumes de desenvolvimento pessoal e outras obras variadas, para ampliar sua educação. Segue aqui um artigo de Judith Williamson sobre leitura, publicado no número 109 da e-zine da Fundação Napoleon Hill, em 20 de fevereiro de 2009. A e-zine é publicada semanalmente pelo Napoleon Hill World Learning Center da Universidade de Purdue Calumet. Para fazer a assinatura semanal gratuita da e-zine, visite www.naphill.org.

Queridos leitores

Se vocês não fizerem nada mais que ler para uma criança, já estarão prestando um grande serviço. Dizem que "leitores são líderes", e para formar um leitor é preciso despertar desde cedo o amor pela leitura. Confesso que sou obcecada por livros. E vou contar um segredinho. Don Green, diretor executivo da fundação, também é. Nós dois simplesmente amamos livros e leitura.

Don se gaba de ter vários livros de cabeceira que lê simultaneamente. Meu marido afirma que tenho uma boa parte da Biblioteca do Congresso em nossa casa. Prefiro a literatura de desenvolvimento pessoal por causa do meu trabalho, mas meu interesse geral pelos livros é variado. Acredito que minha mãe chamou minha atenção para a leitura e para o que os livros podem fazer por uma pessoa muito antes de eu saber ler.

Em um e-mail que recebi recentemente do Dr. J. B. Hill, neto de Napoleon Hill, ele me esclareceu a respeito de questões educacionais que descobriu enquanto fazia um trabalho de genealogia sobre a família Hill. Ele afirmou:

> As mulheres sempre foram a fonte da educação essencial na família Hill. Minha mãe, irlandesa, me ensinou a ler, minha avó ensinou meu pai a ler antes de ele ter cinco anos, minha bisavó emprestada civilizou e educou Napoleon, e minha trisavó provavelmente educou o pai de Napoleon. Na semana passada, vi minha esposa, Nancy, ensinar

nossa filha a ler e percebi que isso não vai mudar nessa geração. Tenho o papel de protetor, provedor, disciplinador, instrutor de ética e pai – mas Nancy é a verdadeira professora dos meus filhos.

Eu respondi o seguinte:

Parece que você realmente pesquisou a história da família Hill e descobriu tendências que beneficiarão as futuras gerações. Minha mãe também me ensinou a ler. Eu era preguiçosa no primeiro ano, porque minha mãe lia muito para mim, e eu adorava. Era um dos meus passatempos favoritos. Porém, quando a professora ameaçou me reprovar porque eu não sabia ler, minha mãe retrucou: "Como assim, ela não sabe ler? Nós lemos o tempo todo!". Quando cheguei em casa depois daquela memorável reunião entre mãe e professora, minha mãe me censurou por não ler e intuitivamente soube o que fazer. Ela disse: "De agora em diante, vou ler seus livros favoritos, mas só páginas alternadas. Você vai ter que ler uma página depois que eu ler uma". Foi o bastante para me transformar em leitora ativa, em vez de ouvinte passiva.

Minha mãe, que fazia aniversário no dia 20 de fevereiro, faleceu em 1990, mas vive em meu coração todos os dias. Era mais inteligente que todos os professores com diploma e experiência em ensino. Como as mulheres da família Hill, minha mãe conhecia o segredo para acender a lâmpada do aprendizado. E isso fez toda a diferença para cada um de nós, não é?

Hoje, depois de ter sido uma aluna de primeiro ano que não sabia/não queria ler, tenho licenciatura de especialista em leitura em ensino fundamental e médio, entre outros certificados. Além disso, sei que o melhor professor é aquele que está mais próximo do aluno, e não em cima do pupilo relutante tentando empurrar educação goela abaixo. Seja com uma máquina de escrever, seja com um livro de histórias, um professor esperto sabe como despertar o desejo de aprender na criança e colocá-lo em ação produtiva.

Queria que as famílias percebessem isso e usassem a magia dentro de seus filhos para desenvolver seu potencial. Parece que sua esposa está fazendo um ótimo trabalho com seus dois filhos! Parabéns.

Compartilhando essas duas histórias pessoais com vocês, espero que comecem a entender a importância da leitura na vida de uma pessoa. Bons livros levam a bons pensamentos, que criam boas vidas. Não desperdicem a oportunidade de ser um leitor. Onde mais vocês podem ter uma lição direta de um especialista? É o melhor negócio do planeta. Escolham um livro e leiam! Garanto que vão aprender muito. As mães não erram. E J. B. Hill, Don Green e eu damos à leitura o nosso mais forte aval.

Seja o seu melhor sempre.

Judith Williamson,
diretora do Napoleon Hill World Learning Center

Em seu clássico poema-livro *Don Juan,* Lord Byron escreveu: "Uma pequena gota de tinta... faz milhares, talvez milhões de pessoas pensar". Ler os livros certos deve fazer você pensar, aprender com os outros, sentir-se inspirado a ponto de escolher um propósito digno de vida, fazer planos e entrar em ação para chegar ao sucesso.

Bons livros podem ajudar a planejar sua vida. Em um romance, o autor escreve a história e o fim. Ler um livro de desenvolvimento pessoal permite ao leitor preparar sua vida e escrever seu fim.

Leia o livro como se o autor tivesse escrito para você. Sublinhe frases interessantes. Faça cartões com informação importante e coloque-os onde possa ver todos os dias. Estejam em cima da mesa, no bolso ou em algum outro lugar, o fato de poder reler as mensagens com frequência vai gravá-las no seu subconsciente. Volte e leia o material regularmente. É provável que você não tenha aprendido o alfabeto ou a tabuada na primeira tentativa, e não é diferente no caso de informação valiosa que vai ajudá-lo na estrada para o sucesso.

Aprendi que ler bons livros conduz a um futuro melhor e a uma vida de propósito digno, e você pode aprender essa mesma lição importante. Quando se faz planos para o sucesso, é absolutamente necessário manter um bom programa de leitura.

A leitura não deve se limitar a livros; deve incluir vários tipos de material. Por exemplo, se sua área é a financeira, bancária ou de investimentos, você precisa ler constantemente, para permanecer atualizado. Leia também biografias de homens e mulheres bem-sucedidos do passado e do presente. Você pode aprender com Carnegie, Rockefeller e outros gigantes do passado. Os líderes financeiros atuais, como Warren Buffett e Peter Lynch, vão mantê-lo informado sobre assuntos que precisa conhecer.

Imagine fazer o mesmo trabalho que pessoas que não têm um bom programa de leitura. Tendo esse programa, você se posiciona para ser um líder, em vez de seguidor, em qualquer empresa ou organização em que escolher trabalhar.

Um bom amigo e mentor, James A. Brown Jr., conhecido pelos amigos apenas como Jim, uma vez me contou a seguinte história:

> Lembro que no sétimo ano fui incentivado a ler livros. Foi a primeira vez que fui testado em termos de nível de aprendizado – e adivinhe? Eu estava no sétimo, mas o resultado do teste foi de quinto ano. Minha professora disse à classe que faria um registro dos livros que líamos, colocando uma estrela ao lado de cada nome cada vez que lêssemos um livro e entregássemos um relatório de duas páginas. No fim do ano, ninguém da minha turma estava nem perto do número de livros que eu tinha lido.
>
> Eu e minha irmã éramos criados por minha mãe com US$ 125 mensais, e eu sabia que enfrentava a pobreza todos os dias. Eu trabalhava em qualquer coisa, inclusive consertando pneus ou o que fosse, para ganhar dinheiro, e desenvolvi uma ética de trabalho que me acompanha até hoje.

Jim também continuou lendo. Concluiu a Escola Grundy, localizada nas montanhas do sudoeste da Virgínia, onde a pobreza passada de geração em geração era comum. Depois frequentou a Virginia Tech, em Blacksburg, onde se formou em engenharia. Jim começou a trabalhar em uma companhia de carvão por US$ 600 mensais, mas tinha planos muito maiores para sua vida. Aos 29 anos, havia fundado a própria companhia de carvão e organizado um banco. Entre suas realizações, além de minerar carvão e escavar em busca de gás natural, ele cria alguns dos melhores cavalos árabes do mundo. Jim também obteve sucesso em projetos de urbanização e na manufatura em grande escala.

Jim Brown se enquadraria na definição de sucesso de qualquer pessoa – ainda está casado com a namorada dos tempos de faculdade, Bliss, e eles são pais de um filho e uma filha que também já são bem-sucedidos. Se o sucesso começa em casa, ele é um exemplo perfeito.

Nem consigo imaginar como teria sido a carreira de Jim se a professora do sétimo ano não o tivesse incentivado a ler. Adivinhe: Jim ainda hoje é um ávido leitor de bons livros – livros de todos os tipos e categorias.

Em 1995, a cantora, compositora e atriz Dolly Parton procurava um jeito de ajudar as crianças de seu condado natal de Sevier, no Tennessee, a se tornarem melhores leitoras, aprenderem a amar os livros e levar livros para casa. (Sevier fica no leste do Tennessee, é um território montanhoso logo além da fronteira com o estado onde estou agora escrevendo isto.) Então, em 1996, Dolly Parton e sua Fundação Dollywood lançaram o programa do livro infantil chamado Biblioteca da Imaginação.

Em poucos anos, o programa cresceu a ponto de enviar milhões de livros para mais de quarenta estados norte-americanos e para o

Canadá e Reino Unido. Christy Crouse, diretora regional da Fundação Dollywood, que opera o programa Biblioteca da Imaginação, é nativa do condado de Wise. Ela é responsável pelo contato que levou à criação da Biblioteca da Imaginação – primeiro em Wise, depois nos outros condados do sudoeste da Virgínia.

A ligação de Dolly Parton com o sudoeste da Virgínia parece natural. A região é montanhosa e tem alto índice de evasão escolar – como Sevier –, o que leva a um círculo vicioso de pobreza e baixos níveis de autoestima em boa parte da população. Muita gente no sudoeste da Virgínia conhece Dolly desde que ela, ainda adolescente, apareceu em uma emissora de TV de música country assistida em Wise e arredores. Hoje ela é conhecida no mundo todo, não só como apresentadora de talento inigualável, mas também como educadora e filantropa que compartilha seus sonhos e esperanças com outras pessoas por meio dos livros.

Dolly Parton compõe e canta música country, estilo apreciado pela maioria das pessoas nas montanhas do leste do Tennessee, onde ela cresceu, e do sudoeste da Virgínia. Dollywood, o parque temático que ela fundou na entrada das montanhas Great Smoky, é um local de férias favorito entre os moradores do sudoeste da Virgínia. Mas a visão e generosidade de Dolly Parton são sentidas muito longe dos nossos familiares vales entre as montanhas.

6

DESEJO E DISCIPLINA

O verdadeiro valor de um homem deve ser medido pelos objetivos que ele persegue.

— MARCO AURÉLIO

Napoleon Hill disse: "Se você quer alcançar grande sucesso, plante em sua mente um motivo forte!". Você vai descobrir que é mais fácil ser bem-sucedido se antes souber o que quer. Depois disso, você deve fazer planos e agir. Provavelmente não terá todas as respostas antes de começar, mas não deve deixar que isso o impeça de partir pela estrada para o sucesso.

Quando descobre os poderes de sua mente, você começa a se mover em direção ao que deseja da vida. Lembre-se de que a vida não é estática e que cada um de nós se move na direção dos objetivos ou para longe deles.

Elbert Hubbard uma vez disse: "Diga-me o que você mais deseja na vida e lhe direi quem pode ajudar mais". Quando perguntaram a Hubbard quem era essa pessoa, ele disse: "Olhe no espelho e você verá".

Li mais de mil livros que tratam do sucesso, alguns deles classificados como desenvolvimento pessoal, outros como inspiradores e outros ainda como biografias de pessoas bem-sucedidas. Todas as histórias de sucesso começam quando alguém quer melhorar de vida e esse desejo é intenso o bastante para levar a pessoa a agir a fim de mudar as circunstâncias. Você pode pensar que todo mundo quer melhorar de vida, mas, se o desejo é só um desejo, não é muito mais que um sonho. Só quando o desejo se torna tão forte que passa a ser o que os escritores chamaram de desejo ardente ou paixão a pessoa vai agir para mudar de vida.

Para dar início à sua jornada, você deve começar com as ideias certas que podem aumentar o desejo até ele se tornar um desejo ardente.

DESEJO

Napoleon Hill definiu o desejo ardente como o ponto de partida de toda realização. Shane Morand tinha mais que um desejo ou uma esperança de ter a própria companhia. Ele tinha o desejo ardente de criar uma organização mundial de vendas.

Em 2008, Shane Morand, Bernie Chua e outros fundaram a Organo Gold. Hoje Bernie Chua é CEO da Organo, Shane Morand é cofundador e distribuidor global máster e Holton Buggs é VP de vendas; juntos, comandam uma das companhias de venda direta que mais rápido crescem no mundo.

> A Organo Gold tem centenas de milhares de distribuidores e estimava ter um milhão deles em 2015 vendendo café, a segunda maior *commodity* do mundo (atrás apenas do petróleo). O desejo de Shane Morand começou em 2018, quando vendeu sua primeira caixa de café Organo Gold, que contém um cogumelo chinês chamado ganoderma, conhecido por seus benefícios à saúde.
>
> Encontre seu desejo e vá atrás dele como se o seu sucesso dependesse disso – ele realmente depende.

Existem grandes destinos e também obstáculos em seu futuro, mas você nasceu com os poderes e capacidades que lhe permitirão melhorar sua situação e ser um sucesso. Você tem os dons que lhe permitirão fazer as melhores escolhas e agir, com o sucesso e o fracasso pendendo na balança.

Robert Collier escreveu um maravilhoso conjunto de sete livrinhos em 1926 chamado *The Secret of Ages*. Em um volume, Collier escreveu uma seção sobre desejo e fez a pergunta: "Se você pudesse fazer um único pedido, qual seria? Riqueza? Honra? Fama? Amor? O que você deseja acima de tudo na vida?".

O poder de se tornar o que você quer ser, ter o que mais quer e realizar o que mais deseja reside dentro de você. Você é a única pessoa que pode trazer isso para fora e seguir em direção à realização que tanto quer.

Você pode ser o que decidir ser. Se é infeliz, pobre ou não tem sucesso, a culpa é sua. Seu potencial não tem limites, mas você precisa perceber isso e ter uma forte crença, uma crença forte o bastante para levá-lo a pôr seus planos em ação.

Sou diretor executivo da Fundação Napoleon Hill e responsável por uma organização mundial que é um negócio de muitos milhões de dólares. Se você visitar meu escritório, vai ver uma placa que diz: "Se é para ser, depende de mim". Enquanto você não assumir a responsabilidade por seu futuro e contar com doações do governo ou o apoio de amigos e parentes, não vai conhecer o sucesso.

Dentro de você estão as habilidades para superar obstáculos. Tão certo quando noite e dia, o sucesso virá ao seu encontro se você seguir os princípios do sucesso e persistir. Sem autodisciplina, você não tem motivo para esperar ser bem-sucedido.

A chave para realizar o que se deseja na vida está em estabelecer objetivos significativos. Você tem que continuar alimentando a mente com pensamentos e ideias consistentes com seus objetivos. Depois, tem que agir e persistir. O que sabemos com certeza é que o sistema funciona.

Lembro quando conheci W. Clement Stone, em Chicago, Illinois. Eu havia sido convidado para comparecer a uma reunião de administradores da Fundação Napoleon Hill no aeroporto O'Hare. Antes de conhecer o Sr. Stone – todo mundo que eu conhecia o chamava de Sr. Stone, apesar dos comentários sobre o presidente Reagan telefonar e chamá-lo de Clem –, eu havia lido livros dele. Na época, Stone era presidente do conselho da Fundação Napoleon Hill. Tinha noventa e poucos anos. Sempre vestido como um empresário bem-sucedido, era uma figura imponente.

Eu havia lido seu livro *The Success System That Never Fails* (A ser lançado pela Citadel Editora com o título *Infalível – O método*). É uma leitura obrigatória para qualquer um que se interesse em como ser bem-sucedido. Como já mencionei, Stone cresceu na zona barra-pesada de Chicago, perdeu o pai ainda muito jovem e foi para as ruas vender jornais aos 6 anos de idade. Ele apanhava com frequência de outros meninos, mas persistiu e começou a aceitar a responsabilidade por seu futuro ainda muito novo.

Pela proximidade com Stone (que considero um privilégio), aprendi o que ele falava sobre decisões. Decisões eram importantes, mas, uma vez tomada uma decisão, um curso de ação apropriado era fundamental para o sucesso. Você recebe o mesmo conselho nos textos de Stone: ação é fundamental para trilhar o caminho do sucesso.

A menos que você aceite a responsabilidade por seu sucesso, nunca será bem-sucedido.

Se você deixar de assumir a responsabilidade por seu sucesso, suas conversas serão cheias de discursos de culpa, fracasso, inveja e outros termos negativos que o levarão mais longe pela estrada do fracasso.

Você pode ter objetivos elevados, desenvolver bons planos e ter uma personalidade agradável e muitas outras qualidades desejáveis. Mas, para ser realmente bem-sucedido, tem que ter disciplina. Sem disciplina, você estará entre a maioria que vai olhar para a própria vida e pensar no que "poderia ter sido".

Disciplina é uma qualidade que você precisa aprender, e, quanto mais rápido aprender e colocar em uso, mais depressa fará a jornada com que outros, que têm pouca ou nenhuma disciplina, só sonharão.

7

OBJETIVOS

Você precisa encontrar alguma coisa que ame o suficiente para correr riscos, pular obstáculos e atravessar paredes de tijolos que sempre serão postos na sua frente. Se não tiver esse tipo de sentimento por aquilo que faz, vai parar no primeiro obstáculo gigante.

— GEORGE LUCAS

or toda a comunidade da Virgínia, marcos históricos homenageiam lugares importantes do estado. Alguns marcos são muito significativos, um recurso valioso que destaca a história e a cultura norte-americanas. Por exemplo, alguns entre as várias centenas de marcos erguidos dentro das fronteiras do estado identificam o local de nascimento do presidente Woodrow Wilson, a casa da infância de Robert E. Lee, a Universidade da Virgínia e o local onde nasceu o presidente James Monroe. Oito presidentes dos Estados Unidos nasceram na Virgínia.

O Departamento de Recursos Históricos do estado é composto por historiadores, arquitetos, arqueólogos e ativistas comprometidos com a educação sobre sítios históricos. Em 1930 foi publicado o primeiro guia de marcos nas autoestradas. A intenção original do programa de marcos era criar por todo o país um interesse pela história da Virgínia e promover o turismo. Hoje os marcos são valiosas fontes de informação para quem viaja pelas estradas do estado.

O motivo pelo qual estou contando essa história é que em 1993 tive como objetivo erguer um marco estadual para homenagear Napoleon Hill, autor do clássico *Think and Grow Rich*, que tem sido reimpresso continuamente desde o lançamento e vendeu milhões de cópias no mundo todo. Não atingi o objetivo no tempo que havia determinado.

Escrevi para o programa de marcos históricos da Virgínia, mas a resposta não foi promissora, para dizer o mínimo. Em vez de desistir, comecei diferentes planos. Entrei em contato com políticos locais e nacionais. Consegui uma lista dos membros da Sociedade Histórica da Virgínia e entrei em contato com cada um deles. Uma das pessoas que procurei foi Robert Wrenn, funcionário do tribunal regional, que tinha lido Napoleon Hill e se inspirado com o que lera.

Conforme fui entrando em contato com outros, o processo ganhou impulso, até eu conseguir a aprovação da Sociedade Histórica da Virgínia para colocar um marco histórico na Rota 23, perto de Wise. A Rota 23 é a rodovia de maior movimento da região; desde que o marco foi erguido, atrai grande número de cidadãos interessados.

Você vai falhar muitas vezes no quesito prazo, mas lembre-se de que o fracasso não é final enquanto você não desistir de tentar.

Quando você age para alcançar um objetivo, é comum que os planos não funcionem conforme o projetado. Se você esperar até ter planos completamente perfeitos, provavelmente não vai começar nunca. Uma vez desenvolvido um desejo ardente, faça planos e comece. Se os planos tiverem que ser modificados ou se a realização do objetivo demorar mais que o planejado, você ainda assim deve ficar satisfeito por ter começado a agir em prol de seu objetivo valioso. Vai ter que haver autodisciplina; se ela não existir, você não tem motivo para esperar sucesso na vida.

Em 1990, fui convidado para copresidir uma campanha de angariação de fundos da Universidade da Virgínia-Wise. A economia da Virgínia não permitia que o estado provesse os fundos de que a faculdade precisava para oferecer bolsas de estudo, construir projetos e operar uma escola de artes liberal de primeira classe.

O Dr. Brent Kennedy foi contratado pela universidade como reitor, e seu trabalho era orientar a campanha. Kennedy era doutor em filantropia pela Universidade do Tennessee e havia trabalhado no angariamento de fundos na Universidade de Georgetown e na Biblioteca Presidencial Jimmy Carter, entre outros lugares. Eu conhecia Kennedy e a família dele havia muitos anos e confiava em sua capacidade para comandar uma campanha de sucesso. Encontrei-me com ele antes do começo da campanha, e ele me convenceu de que poderíamos angariar US$ 20 milhões.

Em nossa primeira reunião, discutimos vários tópicos, como quem cada um de nós conhecia que poderia ser um doador potencial e o que se poderia conseguir com a campanha. Foi feita a sugestão de tentarmos levantar US$ 4 milhões, com base no fato de as doações terem somado US$ 1 milhão no melhor ano até então. A campanha seria mantida por quatro anos, e o objetivo pareceu lógico para alguns membros do grupo. Eu gostei da sugestão de US$ 20 milhões de Kennedy, mas fomos informados de que, caso acontecesse um fracasso, seria um terrível fiasco de relações públicas. Eu ainda acreditava que poderíamos levantar US$ 20 milhões, mas o grupo estabeleceu um objetivo de US$ 13 milhões. Durante os quatro anos, não só angariamos os US$ 13 milhões, como também ultrapassamos os US$ 20 milhões!

O motivo pelo qual estou contando essa história é mostrar que a maioria das pessoas estabelece objetivos muito pequenos e deixa de desenvolver uma crença em si mesma que permita estabelecer objetivos que, na época, poderiam parecer impossíveis. Alguns de nós vimos o objetivo de US$ 20 milhões e trabalhamos para que o que vislumbramos fosse realizado ao fim da campanha.

Por alguma razão desconhecida, a maioria das pessoas não estabelece objetivos. Quase todo mundo tem sonhos de uma vida melhor e mais saúde, riqueza e conforto. Mas, surpreendentemente, a esmagadora maioria não escreve o que quer realizar.

Objetivos escritos podem servir como um contrato com você mesmo. Os objetivos devem ser seus, não de outrem, como pais ou cônjuge. O motivo é que você provavelmente não vai desenvolver um desejo ardente de sucesso a menos que os objetivos sejam seus.

Os objetivos devem ser mensuráveis. Afinal, se você não pode medir seus objetivos, como vai saber que os atingiu?

Objetivos que você se dispõe a realizar também precisam de uma data ou prazo. Por exemplo, se você tem o objetivo pessoal de se formar na faculdade, precisa ter uma data em que pretende terminar o curso. Se não se comprometer a concluir a graduação até, digamos, 31 de dezembro *deste ano*, você provavelmente não vai começar a fazer as cadeiras necessárias, mas vai continuar dizendo a si mesmo que vai cursá-las algum dia. O problema é que *algum dia* não está no calendário, e você não se comprometeu.

OBJETIVOS

Em 1972, um jovem da equipe olímpica de decatlo dos Estados Unidos ficou em décimo lugar geral na disputa, vencida por um russo. Em sua biografia, Bruce Jenner contou que leu *Think and Grow Rich* e estabeleceu objetivos para si mesmo para os Jogos Olímpicos seguintes, em 1976. Estabeleceu objetivos específicos para cada uma das dez provas de que participaria.

Em 1976, Jenner ganhou a medalha de ouro na Olimpíada, estabelecendo um novo recorde mundial no decatlo. Quando Jenner venceu a competição, um espectador entregou-lhe uma bandeira norte-americana, e ele deu a volta olímpica com ela. Esse gesto se repete nos Jogos Olímpicos desde então.

Objetivos são importantes e devem ser escritos com uma data estipulada para sua realização.

Outro ponto é que, se você não chega ao seu objetivo na data determinada, por circunstâncias imprevistas, como perda do emprego, transferência de posto ou problemas de saúde, demorar mais tempo do que o previsto não significa que você fracassou.

Mais uma vez, gostaria que o leitor refletisse sobre a palavra "milionário", porque o que mais importa é o que você se torna durante o processo, não o fato de, depois de ter seguido os princípios do sucesso, descobrir que acumulou US$ 1 milhão ou mais. Mesmo assim, como disse o orador motivacional, autor e empresário Jim Rohn, "a palavra *milionário* tem um belo som". Embora se tornar milionário não represente mais o que representava há cinquenta ou cem anos, ainda pode ser uma grande ajuda no estabelecimento do seu legado.

Sonhe grande, estabeleça grandes objetivos, faça planos, comece, peça ajuda quando precisar e siga o conselho de Mark Twain. Não se afaste de gente negativa – fuja! Pessoas negativas o desestimularão quando você estiver perseguindo seus objetivos.

Por que você deve ter objetivos? Há muitas razões. Primeiro, se soubesse com absoluta certeza que poderia estabelecer objetivos dignos, significativos e sem dúvida alcançar o sucesso, você os estabeleceria? Pessoas orientadas por objetivos têm probabilidade de sucesso muito maior.

Depois de anos estudando o estabelecimento de objetivos, costumo lembrar de Michelangelo, que disse: "O maior perigo para a maioria de nós não é estabelecer objetivos altos demais e não atingi-los, mas determinar objetivos muito pequenos e alcançá-los".

Quando você trabalha para determinar objetivos, há maneiras diferentes de fazer isso, mas alguns passos são obrigatórios. Por exemplo, para começar, os objetivos devem ser seus, não os que outra pessoa quer para você. Um objetivo deve ser alguma coisa pela qual você sinta paixão; caso contrário, quando um obstáculo surgir no caminho, é provável que você desista. Um objetivo vai fazer você se levantar cedo, persegui-lo com paixão, buscar outras soluções quando os obstáculos surgirem, pedir ajuda e fazer o que for necessário para alcançá-lo.

Além disso, o objetivo escolhido deve ser alguma coisa que você possa medir. Por exemplo, se o seu objetivo é perder peso, a quantidade de quilos pretendida deve ser razoável e você deve ter uma data definida para atingir o peso ideal. Assim, se o seu objetivo é perder treze quilos, você não pode estabelecer um prazo de três dias, mas, se estabelecer a perda de treze quilos em três meses, vai precisar perder pouco mais de quatro quilos por mês, ou mais ou menos 135 gramas por dia, o que é bem razoável.

Aqui está o sistema que usei por muitos anos para determinar objetivos. Vai funcionar para você. Todo ano, perto do fim do ano, passo algum tempo quieto com um bloco de papel e uma caneta e escrevo o que gostaria de realizar no ano seguinte, nos três, cinco e dez anos seguintes. Posso relacionar muitas coisas, mas estudá-las me permite determinar quais as mais importantes. Em seguida, faço a lista dos objetivos em fichas de três por cinco centímetros.

Durante mais de trinta anos, carreguei essas fichas no bolso interno do paletó. Todos os dias, várias vezes por dia em certas ocasiões, eu pegava as fichas e as lia. Perguntava a mim mesmo o que estava fazendo ou planejando fazer para me aproximar mais de cada objetivo.

Repetindo: o primeiro passo é que o objetivo deve ser seu e só seu. Não deve ser de seus pais, de seu parceiro ou de qualquer outro que não você. Você deve se apropriar 100% dos seus objetivos. A inspiração vem de dentro.

Segundo, o objetivo deve ser realista. Ser realista não significa que o objetivo não possa ser grande. Estudando objetivos, descobri que muita gente determina objetivos muito pequenos, e isso também se aplica a mim. Não custa mais caro estabelecer grandes objetivos. Ser realista, por exemplo, significa que, se você tem 60 anos, tornar-se um profissional da NBA não vai acontecer. O desejo de estar na liga profissional de basquete provém do seu amor pelo basquete. Você ainda pode ficar perto do esporte como funcionário ou dono de um time, ou agente. Mark Cuban não tem talento para ser jogador profissional de basquete, mas ganhou centenas de milhões no campo da tecnologia e depois comprou o Dallas Mavericks, um time da NBA.

Além disso, o objetivo tem que ter uma data relacionada e anotada com ele. Isso se torna um contrato com você mesmo. Você vai precisar de lembretes do tempo em que tinha o peso ideal ou de fotos de alguém que você considera o físico ideal, para ajudar a motivá-lo. Você não deve se ver como uma pessoa com sobrepeso, mas precisa se ver com o peso desejado.

Objetivos devem ser coisas que requeiram muito esforço e despertem paixão. Devem exigir muito de seus talentos e imaginação, porque todo mundo faz seu melhor quando é desafiado. Você sem dúvida vai descobrir que objetivos que ajudam o mundo a se tornar um lugar melhor para viver lhe darão a maior satisfação. Determinar objetivos funciona, e, se você acha que não tem tempo para isso, está perdendo o ingrediente-chave do sucesso.

> *A última das liberdades humanas [é] escolher a atitude em qualquer conjunto de circunstâncias.*
> — VIKTOR FRANKL

Aqui vão algumas orientações que o ajudarão a desenvolver objetivos:

- Objetivos são simplesmente uma lista de coisas que você espera realizar.
- Objetivos devem ser escritos, para que se tornem um contrato com você mesmo.
- Objetivos pertencem a você e não são coisas que seus pais ou outras pessoas determinam por você. A propriedade dos objetivos deve ser 100% sua.
- Objetivos devem ter uma data para realização; caso contrário, você vai viver em um conto de fadas de "algum dia": algum dia termino a faculdade, algum dia começo um programa de exercícios, e assim por diante. *Algum dia* não está no calendário e é um jeito educado de mentir para si mesmo sobre não começar.

Planos para alcançar os objetivos podem não funcionar de início e talvez precisem de ajustes. Afinal, aprendemos com a experiência, a maior professora.

Qualquer coisa grandiosa a ser realizada requer a ajuda de outros. Trabalhe com quem possa ajudar e tenha conhecimento que lhe falte no assunto. Viva seu sonho e não deixe os outros exercerem influência negativa sobre você.

Lembre-se de que outros já superaram obstáculos provavelmente muito mais difíceis que os seus. Desenvolva uma atitude que diga: "Eles conseguiram, eu também posso e vou conseguir". Lembre-se de que tudo começa com nosso processo de pensamento. É aqui que precisamos perceber que "a imaginação é a oficina da mente, na qual é formulada cada ideia, cada plano e todas as imagens mentais" (*Think and Grow Rich*, de Napoleon Hill, cap. 6).

Não tenha medo de estabelecer grandes objetivos; não custa mais caro do que estabelecer pequenos objetivos.

Ao discutir o sucesso em qualquer coisa, é preciso levar em consideração a atitude. Você poderia dizer que atitude é tudo. Mas, além de uma boa atitude, planos e determinação são absolutamente necessários. Todos os livros de desenvolvimento pessoal que você ler provavelmente dirão que sucesso é realizar objetivos que você estabeleceu para si mesmo.

O problema em definir sucesso como a realização de determinado objetivo, como acumular determinada soma em dinheiro, é que, quando você chega lá, pode não parecer sucesso. Quando o objetivo é dinheiro, você normalmente paga um preço muito alto por ele. Se ganhar dinheiro significar não ter tempo para a família, não prestar serviço à comunidade ou fazer coisas que comprometam sua integridade, então, pensando bem, é provável que você sinta que não era a isso que se referia como sucesso.

Nada no reino das possibilidades pode negar sucesso à pessoa que toma atitudes inteligentes e é persistente.

Cada pessoa carrega dentro de si a chave para o sucesso ou o fracasso. Parece que todo mundo quer sucesso, mas o problema está em dar os passos necessários para ser um vencedor.

A ação necessária para ter sucesso é sempre precedida por um grande propósito. A vida é cheia de exemplos que mostram grandes realizações humanas proporcionais à grandiosidade do propósito e à ação envolvida.

Para ser bem-sucedido, você precisa decidir por um propósito nobre e ir atrás dele com todo o seu empenho. Nada pode assegurar o fracasso tão depressa quando proferir palavras como "minha vida não tem propósito".

Um propósito ou objetivo firme confere direção, força de vontade e a energia necessária para perseverar em todos os esforços. Objetivo e autodisciplina garantem sucesso, e, mesmo com talento e intelecto, uma pessoa sem propósito ou objetivo na vida será um fracasso. Precisamos ter um propósito definido diante de nós, algum objetivo que lutemos para alcançar; não podemos esperar chegar a grandes alturas sem um propósito digno em mente.

A natureza reserva a cada um de nós tudo que é necessário para sermos úteis e felizes, mas a natureza exige que a pessoa trabalhe por aquilo que quer. Superar os obstáculos diante de nós requer muito esforço e perseverança.

Todos os dias, cada um de nós deve fazer alguma coisa que leve para mais perto de uma vida melhor. Nossa vida deve ter um plano definido de ação se quisermos ser um sucesso.

Propósito requer trabalho, mas de fato é inútil esperar resultados apenas de propósitos. Cada passo deve ser um movimento em direção à realização do propósito que desejamos. Para realizar seu potencial, cada pessoa deve começar com um propósito, o melhor plano possível, esforços que usem a maior parte de seus talentos e associação com outras que tenham talentos complementares aos dela.

8

HÁBITOS E PERSEVERANÇA

Bem começado é meio caminho andado.
— ARISTÓTELES

A chave para realizar o que queremos da vida está em estabelecer objetivos e depois continuar alimentando a mente com pensamentos e ideias coerentes com nossos objetivos e agir. A única coisa de que você pode ter certeza se seguir esses passos é que o sistema funcionou para outras pessoas e vai funcionar para você.

Quando alguém disse que fazemos nossos hábitos e depois nossos hábitos nos fazem, essa pessoa fez uma afirmação verdadeira. Vale para bons hábitos, como ler bons livros todos os dias ou se exercitar regularmente, e para os maus, como fumar. Os hábitos podem ter um efeito tremendo em nossa vida, e nós escolhemos se esse efeito é negativo ou positivo.

O falecido J. Paul Getty, que a revista *Fortune* chamou de "o homem mais rico do mundo", escreveu *How to Be Rich*. No livro, Getty relatou um exemplo maravilhoso do que os hábitos podem fazer por nós ou conosco. Alguns hábitos são bons, outros são maus. O acúmulo de escolhas determina se os hábitos que adquirimos vão nos beneficiar ou prejudicar no futuro.

Getty contou que uma vez, dirigindo pela França, parou em uma cidadezinha durante uma tempestade, para passar a noite. Ele acordou no meio da noite com vontade de fumar, mas descobriu que só tinha um maço vazio. Começou a se vestir para sair na tempestade, mas percebeu que o hábito o dominava. Ele relatou que, tendo descoberto esse problema, voltou para a cama e abandonou o hábito de fumar.

O que se deve lembrar sobre hábitos é que fazemos nossos hábitos e depois eles nos fazem.

Hábitos formados pela prática contínua podem ter um tremendo efeito sobre seu sucesso, seja positivo, seja negativo. Por exemplo, se você está sempre atrasado, ignora que tempo é dinheiro, e a mensagem que está transmitindo aos outros não é favorável. A importância de ser pontual se aplica a honrar compromissos, retornar telefonemas, pagar as dívidas ou devolver livros à biblioteca local.

Ser pontual envia um sinal de que você é confiável e considera importante o tempo das outras pessoas. Da mesma forma que ser pontual envia uma mensagem boa, atrasar-se dá aos outros a ideia de que você é preguiçoso, não é confiável ou simplesmente não se importa.

Nossas características físicas são recebidas dos pais, mas o que nos tornamos é obra nossa, pelo uso de nossos processos mentais. Características físicas são coisas como cor do cabelo, cor dos olhos, tamanho e outras do tipo, e sobre muitas delas temos pouco ou nenhum controle.

As características importantes que cada um de nós pode controlar criam o nosso ambiente social. Essas qualidades são hábitos que cada um pode mudar para melhor ou pior. Você vai descobrir que, quanto antes formar hábitos, mais provável é que eles permaneçam com você. Isso se aplica aos bons e maus hábitos.

É comum ver os hábitos de forma negativa, sugerindo que desenvolver hábitos é sempre adverso, em vez de vê-los de um jeito que sugira que hábitos podem não ser adversos, e sim úteis ao desenvolvimento de qualidades que melhoram a vida. Além de olhar para os hábitos que são ruins, como beber em excesso ou fumar, você precisa olhar para os hábitos que, uma vez estabelecidos, são bons e melhoram sua autoestima e sua confiança.

Hábitos são simplesmente o resultado de se repetir coisas. Todo ato mental se torna mais fácil a cada vez que é repetido. Os mesmos resultados podem ser esperados a cada novo empreendimento com que você se comprometer.

Todo novo hábito se tornará mais fácil a cada vez que você agir. Quanto mais você repetir um hábito, mais firme ele se tornará, e menos propenso você ficará a se afastar dele. Lembre-se também de que um hábito como usar a esteira trinta minutos por dia fica mais fácil quanto mais você o repete, mas o oposto também é verdade: cada vez que você deixa de fazer, mais fácil é deixar de fazer de novo.

HÁBITOS

Na convenção da Agência Nacional de Palestrantes de 2007 em Orlando, Flórida, o tópico sobre o qual mais se falou foi Jeffrey Gitomer. Ele havia feito um seminário para a Microsoft, e a empresa encomendou seis mil livros autografados para o evento – cinco mil cópias de *Little Green Book of Getting Your Way* e mil cópias de *Little Black Book of Connections*. O escritório de Gitomer em Charlotte fretou um caminhão e enviou os livros, a fim de que os participantes do seminário não tivessem que esperar por eles.

O hábito de Gitomer de fazer um esforço extra foi muito bem recompensado por propostas de seminários e encomendas de livros de grandes corporações do mundo inteiro.

Estude os hábitos de grandes homens e mulheres e você vai descobrir que desenvolver os hábitos certos desempenhou parte incalculável em seu sucesso.

Sejam os hábitos que você desenvolve bons ou maus, eles definem quem você é e do que é capaz.

Lembre-se de que hábitos são formados por sugestões mentais e persistência. Durante meus muitos anos de estudo dos princípios do sucesso, descobri que bons hábitos são mais fáceis de formar e manter quando se tem um propósito pelo qual se nutre uma profunda paixão. Acho que você vai descobrir a mesma coisa.

Podemos descobrir que o que desejamos na vida é possível de obter se nos dispusermos a pagar o preço. Isso vale para qualquer objetivo, seja ele segurança financeira, seja algum outro marco que queiramos alcançar. Só alcançaremos nosso objetivo se nos dispusermos a pagar o preço. Disciplina é uma necessidade para alcançarmos objetivos dignos de nosso tempo e esforço. Não espere conseguir o que quer sem pagar o preço. Essa é uma lição muito simples, mas importante.

Alguém que se compromete com uma causa válida e persiste vai descobrir que sua realização irá além dos resultados de centenas de menos afortunados que não têm persistência e desistem diante da menor resistência. Você precisa praticar a persistência até a persistência se tornar um hábito.

Você tem a opção de criar o hábito da persistência ou criar o hábito da desistência.

Vince Lombardi, treinador do Green Bay Packers, disse: "Vencer não é uma coisa casual; é uma coisa para o tempo todo. Você não vence de vez em quando; você não faz as coisas direito de vez em quando; você faz direito o tempo todo. Vencer é um hábito. Infelizmente, perder, também".

Prestar um serviço melhor que outras pessoas vai colocá-lo à frente em sua área. Os resultados podem não aparecer depois de um dia, uma semana ou um mês, mas prestar melhor serviço ao longo de um tempo vai render dividendos. O trabalho que você faz não importa – seja você um garçom, seja um banqueiro, seus esforços não ficarão sem recompensa por muito tempo. A lei da compensação é tão natural e certa quanto a lei da gravidade.

Na metade dos anos de 1970, eu era vice-presidente de um novo banco local muito lucrativo. O crescimento da indústria do carvão havia ajudado o banco a crescer muito depressa. O banco tinha sido fundado por homens da região, a maioria do ramo da mineração, e eles decidiram vender a instituição para um dos maiores bancos do estado, recebendo um retorno muito lucrativo do investimento.

Quando um banco é vendido para outro, a transação precisa receber aprovação regulamentar e depois ser revista pelo Departamento de Justiça dos Estados Unidos, para verificar se há violações dos estatutos antitruste. A decisão é pura especulação quanto aos possíveis efeitos da fusão sobre a concorrência.

Nosso banco era uma instituição de apenas US$ 40 milhões e duas agências, mas o Departamento de Justiça contestou a fusão, notificando-nos por telefone na sexta-feira anterior à segunda-feira em que a compra seria efetivada. O banco contratou um advogado local, Don Pippin, e, na primeira audiência na corte federal, o Departamento de Justiça foi representado por umas vinte pessoas, incluindo advogados, assistentes, estenógrafos e outros. Os bancos envolvidos na transação contrataram uma grande e respeitada firma de advocacia localizada na capital do país.

O processo exigiu milhares de horas de trabalho dos empregados do banco para atender às solicitações de informação do governo. Eu mesmo fiz viagens à firma de advocacia de Washington, D.C., para trabalhar no caso.

No fim, a corte federal decidiu a favor dos bancos envolvidos na transação e contra o Departamento de Justiça. Não foi o fim dos nossos problemas porque, depois de perder a causa, o Departamento de Justiça tinha meses para apelar e, em vez de informar se pretendia ou não recorrer da sentença, nos deixou no limbo até expirar o prazo do recurso. O Departamento de Justiça poderia ter notificado os bancos de que não pretendia recorrer da sentença, mas não o fez.

A fusão ocorreu, continuei no cargo de vice-presidente e fui convidado a assumir o posto de diretor de empréstimos comerciais do banco maior. Era um cargo muito importante, atendendo grandes clientes comerciais.

Enquanto trabalhava nessa função, fui convidado para ser chefe executivo de um banco de investimentos e financiamento que enfrentava sérios problemas financeiros. Os resultados foram fantásticos, mas, quando estava nesse banco havia menos de um ano, fui indiciado pelo Departamento de Justiça sob a acusação de usar informação privilegiada para induzir os acionistas a comprar ações do banco para o qual eu trabalhara antes.

Normalmente, o sistema de justiça nos diz que somos inocentes até que se prove o contrário, mas eu trabalhava em um banco cujos depósitos eram garantidos pelo governo federal, e não pude trabalhar depois de indiciado. Estar nas manchetes por causa disso não foi muito divertido. Minha filha frequentava a faculdade, e um professor perguntou a ela sobre o indiciamento.

Porém, o indiciamento fez de mim uma pessoa muito mais forte e me ajudou a perceber que qualquer coisa menor que a morte pode ser enfrentada se você mantiver a compostura e não enterrar a cabeça na areia. Um amigo e advogado local, Don Earles, me deu orientação valiosa e me pôs em contato com Don Huffman, um advogado e ex-promotor federal em uma cidade a três horas de distância.

O processo antitruste havia identificado a época da primeira discussão sobre uma possível fusão bancária, e eu tinha comprado ações depois dessa discussão. Porém, eu não sabia da possível fusão quando comprei as ações e não havia solicitado a compra. Um amigo que era fundador e presidente de um banco em uma cidade próxima havia comprado ações em nosso banco. Antes de passar as ações para o seu nome, ele esteve no banco e as ofereceu a mim. Eu simplesmente saquei dinheiro das minhas economias e comprei as ações dele.

Depois do indiciamento federal, obtive uma carta desse cavalheiro afirmando que eu não havia pedido para comprar as ações, e meu advogado se reuniu com os promotores federais, que se ofereceram para reduzir a acusação de crime com uma pena de detenção possivelmente longa e multa alta para uma contravenção com uma pequena multa. Recusei educadamente.

Alguns dias depois, o Departamento de Justiça percebeu o erro e retirou as acusações, e eu voltei ao trabalho após o pequeno afastamento. O resultado foi um prejuízo de US$ 3 mil em honorários de advogados, que lancei na declaração de renda, pedindo dedução. Escrevi uma nota e anexei o código do imposto, e a despesa não foi questionada na minha restituição.

Há uma tremenda lição nisso tudo: a de que aqueles que ocupam posições de poder podem ser contestados, e você não deve entrar em pânico se for acusado injustamente. Se tiver razão, enfrente o problema, use os recursos à sua disposição, mantenha a cabeça erguida e persista até ter sucesso.

No caso recente da Universidade Duke em que alguns membros da equipe de lacrosse foram acusados criminalmente por um promotor muito desonesto que queria publicidade para concorrer a um cargo público, o promotor sabia que as acusações eram falsas. Os resultados foram que o time, que disputava um campeonato nacional, foi suspenso da temporada. Muitos professores da Duke assinaram uma carta condenando os garotos. Quando a verdade foi descoberta, o fato de o promotor desonesto ter ocultado informações que comprovavam a inocência dos rapazes o levou a perder o emprego e a licença legal, além de enfrentar um processo. Foi feito um acordo com os estudantes que, segundo dizem, custou à Duke vários milhões de dólares. As notícias sobre o caso da Duke me fizeram lembrar da minha batalha legal, ocorrida cerca de 25 anos antes.

Lembro as palavras do filósofo alemão Nietzsche: "O que não mata, fortalece".

> *Você ganha força, coragem e confiança a cada experiência em que realmente para e olha o medo de frente. Você é capaz de dizer a si mesmo: "Eu sobrevivi a esse horror. Posso enfrentar a próxima coisa que surgir". Você deve fazer aquilo que pensa que não é capaz de fazer.*
> — ELEANOR ROOSEVELT

A perseverança demonstra que o sucesso pode não vir com facilidade. É aí que você tem a chance de integrar os 5% que são realmente bem-sucedidos, em vez de ficar nos 95% que apenas sonham com o verdadeiro sucesso. A palavra *perseverança* diz que o trabalho duro é necessário, junto com disciplina e superação da adversidade, e tudo isso requer que você nunca, nunca desista dos seus objetivos.

Você vai descobrir que perseverança é muito mais fácil depois que você seleciona seu propósito na vida. É essencial que você ame o que está fazendo, tenha paixão e a crença de que vai alcançar seu objetivo. É menos provável que você desista quando está perseguindo alguma coisa de que gosta e fazendo aquilo que ama.

9

FRUGALIDADE E AUTOSSUFICIÊNCIA

Se você não domina a si mesmo, será dominado pelos outros.
— NAPOLEON HILL

Quando sua renda de investimentos excede sua renda do trabalho, você pode se considerar rico.

Mesmo que você use suas capacidades e trabalhe duro para ter uma boa renda, a semente do sucesso não estará em você a menos que aprenda a economizar parte do que ganha. Se você não consegue economizar parte dos rendimentos enquanto ganha pouco, é provável que não considere mais fácil economizar quando a renda aumentar. É fácil dizer a si mesmo: "Um dia, quando eu ganhar mais dinheiro, terei dinheiro para guardar". O problema com esse pensamento é que "um dia" não está no calendário. É um jeito educado de mentir para si mesmo e se esquivar do compromisso.

Guardar dinheiro é um hábito, e a afirmação de que bons hábitos se instalam pela repetição de um gesto muitas e muitas vezes até ele se tornar parte de nós é verdadeira. O lado ruim disso é que maus hábitos se instalam da mesma maneira.

FRUGALIDADE

Quando R. J., um jovem que estudava finanças em uma grande universidade, ouviu a mãe perguntar: "R. J., você tem um bom emprego no campo de golfe nesse verão. Por que não come no restaurante do clube?", respondeu: "Por dois motivos, mãe. Primeiro, a comida é cara; segundo, se eu parar para ir comer no restaurante, tenho que bater cartão e fazer um intervalo, e não vou ter tantas horas e gorjetas para receber". Isso é ser frugal.

Diga o que você vai fazer, depois faça o que disse.

Descobri que muita gente fala que vai comparecer a reuniões ou faz uma lista de promessas, mas deixa de cumpri-las. O fracasso em cumprir promessas pode não parecer importante, mas, quando se acumula ao longo de um tempo, colabora para definir você. É como ir a uma reunião em que alguém que você conhece diz: "Todo mundo está aqui, menos Bill, e eu falei com ele, e ele disse que tentaria vir". Não caia no hábito de dizer às pessoas que vai tentar fazer alguma coisa – ou você vai, ou não vai.

Um dia recebi um telefonema de Shane Morand sobre o possível contrato para um livro que se revelaria muito benéfico à Fundação Napoleon Hill. Vou contar um pouco da história da origem do relacionamento da fundação com a empresa de Morand, a Organo Gold.

Há cerca de dois anos, um rapaz chamado Scott VanGemert esteve em um evento aberto no Napoleon Hill World Learning Center na Universidade de Purdue Calumet, em Hammond, Indiana. Scott é um guru do marketing, e estava trabalhando para o fundador de uma nova organização de vendas, Bernie Chua. Scottie fez amizade com Judith Williamson, diretora do World Learning Center, e Uriel "Chino" Martinez. Scott seguia a filosofia do sucesso ensinada pela Fundação Napoleon Hill. Era natural que se desenvolvesse um relacionamento de negócios entre a Organo Gold e a Fundação Napoleon Hill, porque o pessoal de vendas da Organo Gold tinha ouvido falar que os treinadores de vendas defendiam os princípios que Napoleon Hill havia estudado e sobre os quais tinha escrito mais de cem anos antes.

Shane contou que havia discutido como ter uma organização empresarial com um sistema infalível. Eu respondi: "Shane, a fundação tem um livro intitulado *The Success System That Never Fails*, de W. Clement Stone, que foi presidente do conselho da Fundação Napoleon Hill e responsável pela boa condição financeira da instituição". Shane comentou que não havia lido o livro, e eu falei que mandaria uma cópia para ele. Não só me comprometi a mandar uma cópia desse livro para ele, como também disse que mandaria uma cópia de *Napoleon Hill's Golden Rules,* publicado no ano anterior. *Golden Rules* é um livro composto de artigos que Hill escreveu entre 1919 e 1923 para revistas de que era dono. Os livros foram mandados por FedEx de um dia para o outro.

O que tornou possível a ideia de um grande contrato de negócios com a Organo Gold foi que a empresa queria uma edição de colecionador de *Think and Grow Rich*, tanto em livro quanto em áudio, feita em tempo de presentear os associados de vendas da companhia em uma conferência que aconteceria em breve no Ritz-Carlton da Jamaica. Não só os representantes da Organo Gold eram seguidores da filosofia do sucesso de Napoleon Hill, como também queriam compartilhá-la com outros membros da organização. Não só estavam dispostos a investir uma quantia considerável, como também não buscavam lucro – queriam apenas expor seu pessoal a Hill e angariar fundos para o Napoleon Hill World Learning Center.

Fiz uma viagem paga à Jamaica com Judy, Uriel e Scott, e comparecemos a um evento maravilhoso. Quando Shane me apresentou aos oitocentos presentes, contou que eu havia me comprometido a enviar os livros e o fizera, e que, embora ele morasse no Canadá, tinha recebido no dia seguinte. Shane explicou à plateia que eu não apenas tinha feito o que dissera, mas também tinha escrito um cartão contando que havia gostado de seu entusiasmo e incluído a citação de Ralph Waldo Emerson: "Nada grandioso jamais foi realizado sem entusiasmo".

> **Lembre-se de que intenção não só é inútil como também, cada vez que você revela suas intenções e deixa de cumpri-las, está criando um padrão que vai se tornar um hábito pela repetição. Você sabe que primeiro fazemos os hábitos, depois os hábitos nos fazem.**

Intenções se aplicam não só aos negócios, mas também, ainda mais importante, à vida pessoal. Ter a intenção de ir ao jogo do seu filho na liga infantil, ao evento na escola ou àquele compromisso e não comparecer cria desapontamento que pode prejudicar a relação entre pai e filho. O mesmo se pode dizer sobre intenções com um cônjuge, amigo ou qualquer pessoa em sua vida.

O *New World Dictionary* da Webster define autossuficiência como a confiança nos próprios julgamentos ou capacidade. Um dos melhores hábitos que uma pessoa pode aprender é ser autossuficiente. Não quero dizer que tem alguma coisa errada em pedir ajuda aos outros para realizar o que você está tentando fazer. Estou falando em aprender a fazer mais com base em seu próprio julgamento ou capacidade, como descreve o dicionário.

Muitas vezes vi pessoas que têm um bom emprego e um bom rendimento se meterem em problemas financeiros por várias razões, inclusive a incapacidade de adiar gastos. Acumulam dívidas pagando por serviços que poderiam ter feito elas mesmas ou adiado até terem economizado dinheiro suficiente, assim evitando a dívida.

Meus pais se casaram no meio da Grande Depressão e, como muitos outros naquele tempo, eram autossuficientes por necessidade. A lição de autossuficiência os ajudou muito ao longo da vida. Meu pai, que só havia estudado até o sétimo ano e era mineiro de carvão, foi uma das pessoas mais inteligentes com quem convivi. Sobrevivência foi uma lição que ele aprendeu bem.

Quando estourou a Segunda Guerra Mundial, meus pais se mudaram para Norfolk, Virgínia, onde meu pai trabalhava em estaleiros e ele e minha mãe mantinham uma pensão. Em 1945, quando a guerra acabou, voltaram para o sudoeste da Virgínia, e ele retornou às minas de carvão, onde sabia que podia ganhar o sustento. Naquela época, havia quatro meninos na família – Bob, Jerry, Danny e eu.

Uma irmã, Bernetta, viria mais tarde, depois dos quatro garotos, e seria a queridinha do meu pai.

Meu pai era autossuficiente, sem dúvida em razão das lições que aprendera ao ser criado durante a Depressão. Embora ganhasse cerca de US$ 14 por dia, conseguiu comprar metade de um arrendamento de 160 acres com o irmão mais velho, Lee.

Ele trabalhava no turno da tarde/noite na mina, das 15h às 23h, e se levantava cedo para trabalhar na terra até a hora de voltar à mina. Meu pai manteve esse padrão durante anos e nunca pediu ajuda ao governo, nem subsídios agrícolas. Quando uma mina de carvão era esgotada e meu pai enfrentava a perda do emprego, ele simplesmente procurava até encontrar outro; nunca pediu assistência pública, como benefícios concedidos ao desempregado ou a cesta básica complementar que o governo disponibilizava prontamente.

Uma vez meu pai ficou gravemente ferido pelo deslizamento de uma pedra na mina e, enquanto estava de muletas, não foi aprovado no exame médico da empresa. Sua solução foi arrumar um emprego de motorista de caminhão por um salário bem menor até a saúde melhorar e ele não precisar mais das muletas.

Ser autossuficiente significa estar no controle, e isso significa ser financeiramente responsável. Estar no controle é uma característica comportamental e tem pouca coisa a ver com educação. Meu pai nunca teve mais que US$ 4 mil, que usou para construir uma casa de tijolos de três quartos; ele pagou o financiamento em dois anos.

Quando a casa ficou pronta, surgiu um problema: não era possível obter água potável. A solução foi um excelente exemplo de iniciativa pessoal, que é simplesmente fazer o que tem que ser feito.

Cerca de um quilômetro e meio abaixo da casa nova, havia uma fonte de "água doce", onde, como na Bíblia, a água fresca brotava das rochas. Mais uma vez sem nenhuma ajuda do governo, do departamento de água, das autoridades públicas ou de qualquer organização, meu pai traçou um plano para levar água à casa nova. Primeiro construiu um reservatório com blocos que continham a água, em vez de deixá-la fluir. Ele encomendou uma bomba elétrica de uma empresa de venda por correspondência e pediu a mim, Bob, Jerry e Danny para cavarmos um canal da fonte até a casa nova.

O canal precisava ter uns sessenta centímetros de profundidade, para impedir que a água congelasse nos canos, e só tínhamos ferramentas manuais. Quando cavamos o canal até a rodovia, encontramos o que pareceu um grande problema para quatro meninos: tínhamos de cavar através da Rota 23. Antes do desenvolvimento das interestaduais, essa era a maior rodovia de Michigan à Flórida, atravessando a Virgínia, onde morávamos.

A autoestrada em que tínhamos de cavar uma vala de noventa centímetros era percorrida por milhares de carros 24 horas por dia, e as únicas ferramentas que tínhamos eram manuais: picaretas e pás. Fizemos uma barreira caseira em uma das pistas, forçando o tráfego a desviar e sair do asfalto enquanto cavávamos. Ao cair da noite, cobríamos a vala, para permitir o fluxo de automóveis e evitar acidentes. Na manhã seguinte, tirávamos a terra e cavávamos até a vala ter a profundidade necessária. Repetimos o processo do outro lado até terminar de cavar a vala e instalar um cano de água e um fio elétrico.

Tempos depois, o Departamento de Transportes da Virgínia faria uma reclamação porque a terra cedera, deixando um trecho acidentado na estrada. Mas o departamento mandou funcionários para consertar o buraco que criamos. Mais de cinquenta anos passaram, e a água continua fluindo para a casa que meus pais construíram.

Você pode perguntar: "Para que contar essa história?". Para mim, a resposta é muito simples: porque ajuda a ensinar o hábito de se tornar autossuficiente. Tornar-se autossuficiente proporciona autoconfiança. Seja o obstáculo que você enfrenta algo menor ou maior que cavar uma vala de um quilômetro e meio com ferramentas manuais cruzando uma grande rodovia dos Estados Unidos, você vai aprender que uma tarefa começada é meio caminho andado.

Os leitores mais ávidos de livros de desenvolvimento pessoal conhecem "O ensaio sobre a compensação" de Ralph Waldo Emerson. Ele também escreveu um ensaio sobre autossuficiência. No fim desse ensaio, Emerson escreveu que eventos externos podem elevar seu espírito, mas "nada pode lhe dar paz senão você mesmo. Nada pode lhe dar paz senão o triunfo dos princípios".

Autossuficiência o ajudará, como me ajudou, a aprender que desafios não parecem desafios se você sabe aonde vai e está determinado a chegar lá. Nunca é demais enfatizar a importância de se tornar autossuficiente e os resultados positivos que esse hábito pode ensinar. Aprenda essa lição e transforme desafios em oportunidades.

10

APRENDER COM OS OUTROS

Mantenha o rosto voltado para o sol e não poderá ver a sombra.

— HELEN KELLER

Quando penso na minha infância, penso principalmente nos acontecimentos felizes. Às vezes essas lembranças parecem coisas que li em um livro no meu primeiro ano do ensino fundamental, na escola que reunia alunos de seis séries em duas salas.

A escola tinha dois professores, Patton Edwards e Goldie Ball. Minha primeira lembrança da escola é o almoço. Minha mãe enchia uma lata de calda com leite e pão de milho; as colheres iam ali dentro também. Um dos meus irmãos mais velhos – Bobby ou Jerry – colocava o recipiente de metal no riacho na frente da escola. A água ajudava a manter o leite fresco. Na hora do almoço, tirávamos a vasilha do riacho. O leite com pão era um bom almoço. Várias vezes tínhamos biscoitos com presunto ou geleia feitos por nossa mãe. A escola tinha banheiros do lado de fora, sem água corrente.

Algumas coisas que pareciam difíceis naquela época hoje são engraçadas quando penso nelas. Por exemplo, quando eu estava no primeiro ano na escola de Dog Branch, um dos problemas era tirar água do poço.

A escola tinha apenas um poço de água potável, e os meninos maiores pegavam água com um balde preso a uma corda e uma manivela. Percebi bem depressa que eu tinha um problema, porque a escola não fornecia copos de papel para se beber água. Notei que os outros alunos pegavam uma folha de papel e improvisavam um copo. A única coisa de que eu precisava era alguém para me ensinar a fazer o copo de forma que ele contivesse a água. Convenci um menino mais velho a demonstrar o processo, e essa se tornou uma primeira lição sobre aprender com os outros.

Um bom amigo meu, o finado Charlie "Tremendous" Jones, costumava dizer que somos quem somos por causa das pessoas a quem nos associamos e dos livros que lemos. Você vai descobrir que pessoas bem-sucedidas normalmente são muito solícitas para ajudar quem procura planos para alcançar seus objetivos.

Devemos usar a vida de outras pessoas como exemplo para nos inspirarmos com suas realizações e modelarmos nossa vida.

Não só podemos aprender com os outros, como também pessoas bem-sucedidas têm prazer em ajudar, e você vai descobrir que é exatamente isso que elas fazem.

Nossa vida passa por três estágios: o primeiro é aprender, o segundo é ganhar o sustento, e o terceiro é compartilhar. Esse terceiro estágio deve ser o melhor da vida. É o estágio em que você cria seu legado.

Em 1999 eu trabalhava como banqueiro e dava um curso chamado "Chaves para o sucesso". Eu havia sido fundamental na implantação desse curso em uma faculdade local fundada em 1955 com um investimento de US$ 10 mil do legislativo estadual da Virgínia. Como membro do conselho da faculdade, compareci à formatura de 2005. Ouvi um orador comentar que aqueles US$ 10 mil provavelmente foram o dinheiro mais bem gasto do legislativo. A Faculdade de Clinch Valley, como era conhecida na época, era o único braço da Universidade da Virgínia.

Em 1999 um pequeno grupo de cidadãos locais, todos ex-alunos da faculdade, foi à sede do governo estadual em Richmond para pedir ao legislativo a mudança do nome da Faculdade de Clinch Valley para algo que demonstrasse a conexão com a Universidade da Virgínia. Eu integrava esse grupo.

Para a maioria dos envolvidos, a tarefa parecia impraticável, por várias razões. Primeiro, a Universidade da Virgínia foi fundada por nosso terceiro presidente, Thomas Jefferson, e é uma das mais conceituadas dos Estados Unidos. Muita gente da universidade não queria que uma pequena faculdade nas montanhas do sudoeste da Virgínia fosse confundida com a universidade. Até o conselho da Universidade da Virgínia se opunha com veemência à ideia, bem como muita gente ligada à Faculdade de Clinch Valley.

Nós que fazíamos a solicitação considerávamos que a mudança de nome seria uma obra-prima de marketing. Um diploma da Universidade da Virgínia facilitaria muito a colocação dos alunos no mercado depois da formatura. Possíveis empregadores fora da região talvez não conhecessem a Faculdade de Clinch Valley, mas até um empregador no Brasil provavelmente conheceria a Universidade da Virgínia. Com relação ao recrutamento de estudantes para a faculdade, a mudança de nome seria um presente do céu.

A mudança de nome exigia aprovação legislativa da Virgínia. Don Pippin, William Sturgill, J. Jack Kennedy e eu fomos a Richmond para tentar convencer os membros do legislativo da importância da mudança de nome. Sem exceção, parecia que os representantes eleitos já haviam sido pressionados por diferentes pessoas em nome da Universidade da Virgínia para resistir a qualquer mudança. Lá estava todo o poder político de gente de prestígio associada à Universidade da Virgínia contra uma faculdade pouco conhecida nas montanhas. Era Davi e Golias.

O Conselho de Regentes da Universidade da Virgínia, presidido por um renomado advogado de uma das maiores firmas de advocacia do estado, se opunha veementemente (*veementemente* é pouco), assim como a esmagadora maioria dos alunos da instituição. Até alguns alunos e professores da Faculdade de Clinch Valley eram resistentes à mudança de nome. O que eles não viam eram os tremendos benefícios de trocar um nome desconhecido por um que demonstrasse a associação com a Universidade da Virgínia.

CRENÇA

J. Jack Kennedy era um jovem advogado que cumpria um mandato no legislativo da Virgínia em 1991, quando desenvolveu uma forte crença de que poderia mudar o nome da Faculdade de Clinch Valley – único braço da Universidade da Virgínia – para tornar conhecida sua relação com a instituição de ensino fundada por Thomas Jefferson, nosso terceiro presidente. Jack acreditava que mudar o nome da faculdade seria uma realização monumental em termos de marketing, de prestígio e da capacidade de atrair alunos.

Jack não conseguiu realizar a mudança durante o mandato no legislativo, mas nunca desistiu de sua crença. Trabalhou com outras pessoas, inclusive William Wampler, que o derrotou na campanha pela reeleição. O legislativo mudou o nome da escola para Faculdade da Universidade da Virgínia em Wise em 1999, e a mudança foi de imenso valor para atrair alunos e fundos.

Lembramos a afirmação de Frank Lloyd Wright: "A coisa em que você realmente acredita sempre acontece, e a crença em uma coisa faz com que ela aconteça".

J. Jack Kennedy, advogado e ex-membro da Casa dos Delegados da Virgínia e do Senado do Estado da Virgínia, conhecia a maioria dos membros do legislativo, o que ajudou nossa causa. Kennedy propôs a mudança de nome pela primeira vez em 1991, enquanto cumpria um mandato no legislativo da Virgínia. O senador William Wampler, que curiosamente derrotou Kennedy depois que um redistritamento os colocou um contra o outro, comandou a batalha, patrocinando o projeto. A derrota em 1991 foi uma lição em política.

Assim que apresentamos nosso caso, fiquei surpreso com a ajuda que recebemos. Uma das experiências mais agradáveis para mim foi conhecer Emily Couric, irmã de Katie Couric, da ABC News. Ela foi muito atenciosa. Era fácil se impressionar com Emily Couric. Além da beleza estonteante, ela teve compaixão por nossa causa, embora fosse pressionada pelos alunos da Universidade da Virgínia e pelo conselho da universidade. Senadora estadual, Couric representava a região da Universidade da Virgínia. Eu achava que um dia ela se tornaria procuradora-geral da Virgínia e seria séria concorrente ao governo do estado. Infelizmente, sua morte prematura interrompeu a brilhante carreira política.

Don Pippin, um bom e velho advogado rural, fez um discurso para o comitê do Senado, e os membros ficaram surpresos com a sua energia. A mudança de nome foi aprovada pelo comitê, surpreendendo muita gente. O passo seguinte era a aprovação pelo próprio legislativo.

É claro, muito trabalho foi desenvolvido em reuniões individuais com os membros do Senado da Virgínia, como Yvonne Miller, de Norfolk. Membro de um grupo minoritário, ela se aliou aos "pequeninos" da causa, e sua ajuda foi simplesmente excepcional. O resultado da votação para aprovar a mudança de nome foi 35 votos a favor e cinco contra. O nome da escola passou a ser Faculdade da Universidade da Virgínia em Wise. O nome usado geralmente hoje em dia é UVA-Wise.

O processo de mudança do nome da faculdade utilizou muitos dos princípios do sucesso. Primeiro, aqueles que queriam a mudança de nome tinham um desejo ardente de alcançar o objetivo. Acreditavam que a viagem à sede do governo da Virgínia não seria em vão. O trabalho em equipe foi demonstrado desde o início. Na viagem de automóvel, meu celular foi usado constantemente, o que gerou uma conta de centenas de dólares, porque o grupo sabia o que precisava ser feito e tinha uma visão.

Em uma reunião recente, o ex-chanceler Ernie Ern declarou que não conseguia acreditar no impacto positivo que a mudança de nome teve sobre a universidade. Matrículas, levantamento de fundos, classificação e outras medidas do sucesso de uma faculdade haviam melhorado drasticamente. O episódio no todo demonstra como pessoas bem-sucedidas costumam ser prestativas para ajudar os outros em causas justas.

Devemos solicitar a ajuda de outras pessoas e lembrar as palavras de John Donne: "Nenhum homem é uma ilha". É essencial que você peça ajuda e, da mesma forma, ajude quando puder.

Pessoas bem-sucedidas costumam estar em posição de dar grande ajuda a outras, e muitas se dispõem a fazê-lo. Indivíduos bem-sucedidos realizam suas conquistas com a ajuda de outras pessoas, por isso, quando têm condições de ajudar, normalmente ficam felizes em fazê-lo.

Durante o ensino médio, eu costumava cortar madeira para as minas e ainda me lembro dos números. O preço de venda da madeira era US$ 0,08 por trinta centímetros, e os pilares tinham 2,1 metros de comprimento (a altura das minas subterrâneas de carvão), o que resultava em US$ 0,56 por pilar de madeira. Cada vez que eu e meus dois irmãos mais velhos — Bobby e Jerry — cortávamos cem peças (com uma serra manual), tínhamos US$ 56 para dividir entre nós. Nosso irmão mais novo, Danny, levava água para nós e recebia por isso. Isso é que é ser empreendedores autônomos! Nós éramos, embora não soubéssemos o que significavam as palavras.

Depois que meu irmão mais velho concluiu o ensino médio, arrumou um emprego e se casou, consegui emprestar a ele o dinheiro para a entrada do financiamento de sua primeira casa graças aos meus vários empreendimentos dos tempos de escola. No começo da faculdade, tive vários empregos. Dirigia um ônibus escolar ganhando US$ 76 por mês e trabalhava em um posto de combustível nos finais de semana, abastecendo, trocando óleo, lavando carros e fazendo o que mais fosse necessário. O trabalho no posto pagava US$ 0,75 por hora, e eu era muito grato por isso. Trabalhei para Bob Adkins no posto Phillips 66 da cidade, e Bob é um bom amigo até hoje. Aprendi muito sobre as pessoas no trabalho.

O que aprendi foi que cada trabalho era realmente uma bênção e rendia dividendos bem depressa, mas também aprendi a valiosa lição de que devemos nos comprometer com o emprego em que estamos no momento e sempre nos orgulharmos do que realizamos mediante trabalho árduo. Eu e meus irmãos aprendemos uma lição de persistência que nos acompanhou pela vida adulta.

> **Nenhum trabalho deve ser considerado inferior a você; todos devem ser vistos como um ponto de partida. Empregos subalternos parecem insignificantes apenas quando você os aceita como uma situação sem saída e não tem esperança de um futuro melhor.**

Um desejo que é uma paixão permite que você realize mais do que faria se tivesse uma atitude desdenhosa com as oportunidades que se apresentam. Você também pode criar oportunidades melhores mantendo-se alerta para as que já existem. Vou dar um exemplo.

Em um verão, ouvi o proprietário de uma pequena mina de carvão de pôneis falar sobre comprar trilhos de aço de uma mina de carvão perto da fronteira da Virgínia Ocidental. As minas de carvão de pôneis eram minas subterrâneas que usavam pôneis para puxar os carrinhos de carvão (pequenas carroças que pareciam vagões). O carvão extraído era posto nos carros (normalmente por trabalhadores usando grandes pás). O trabalho era sujo, muito duro, perigoso e oferecia uma chance mínima de progresso. Os carros corriam sobre trilhos de aço como os das ferrovias, mas muito menores; os trilhos facilitavam muito a movimentação dos carros, tornando muito mais fácil puxá-los do que arrastá-los pela terra, lama e água.

Nos finais de semana, meu irmão e eu íamos à mina, alimentávamos os pôneis com feno e grãos e dávamos água fresca aos animais. R. O. Goad, proprietário da mina, costumava comprar trilhos de aço de minas que estavam sendo fechadas. Ele usava o material em sua mina ou vendia com algum lucro. Naquela ocasião, meus irmãos e eu nos oferecemos para ir à mina na Virgínia Ocidental e "puxar o ferro" que Goad tinha comprado. Meu irmão Bobby tinha 18 anos, Jerry estava com 16, e eu com 14.

Fomos à mina em um grande caminhão. Quando chegamos lá, a tarefa era simples, embora muito difícil. Não havia eletricidade no subsolo, por isso usamos lampiões. O trabalho era tirar os trilhos, que tinham de 4,5 a sete metros de comprimento.

O primeiro problema foi que os trilhos eram parafusados; cobertos por terra, água e lama, os parafusos estavam enferrujados.

Usando ferramentas manuais, conseguimos afrouxar alguns deles; outros tiveram que ser serrados com uma lixa manual.

O problema seguinte foi arrastar os trilhos e levá-los para o caminhão. Arrastar trilhos de aço por uma distância considerável era muito difícil. A mina de carvão tinha mais ou menos um metro de altura, o que significava que não podíamos ficar em pé, e isso tornava o trabalho mais árduo.

Um homem velho e careca (pelo que me lembro, o sobrenome dele era Miller) viu o esforço que fazíamos e, embora não pudesse ajudar com trabalho braçal, ofereceu uma solução. Cada trilho tinha furos nas extremidades para os parafusos. Miller disse que, quando era jovem, havia feito o que estávamos tentando fazer. Sugeriu que providenciássemos cordas, passássemos uma ponta pelos buracos, amarrássemos e depois usássemos a corda para puxar os trilhos para fora da mina. Ainda lembro de como o trabalho de puxar os trilhos para fora da mina subterrânea até o caminhão ficou mais fácil.

Ao longo da vida, cada um de nós vai deparar com centenas de ocasiões nas quais poderá usar as experiências de outras pessoas em benefício próprio.

A maioria dos jovens recebe algumas de suas melhores lições dos pais. Com frequência são coisas que os pais fizeram e que os ajudaram a criar o próprio legado. Essas lições são de tremenda importância, embora talvez só notemos ao relembrar os tempos de criança.

Primeiro vou falar sobre meu pai. Era uma pessoa notável, embora tivesse estudado apenas até o sétimo ano. Consigo me lembrar de muitos gestos de bondade que ele praticou sem esperar nada em troca. Por exemplo, quando o frio chegava no fim do outono, havia o abate de porcos. O evento começava com o acendimento de fogueiras e aquecimento de água para despejar sobre as carcaças a fim de amolecer os pelos, e os membros mais jovens da família ajudavam a remover os pelos raspando a pele com uma grande faca de açougueiro.

Depois que os porcos eram abatidos e os intestinos eram removidos, a cabeça e os pés eram cortados. Em seguida, o corpo era cortado em vários pedaços. Parte da carne era cozida, parte era usada para produzir linguiça e parte para costeletas e outros cortes. No fim restavam apenas a cabeça e os pés, que nossa família não usava; por isso, meu pai levava essas partes para os campos de carvão próximos. Nos campos havia membros de vários grupos de minorias que haviam se mudado para lá em busca de emprego.

Uma vez fui com meu pai, e ele explicou o que estava fazendo. Dirigiu até um campo de carvão em Clinchco e parou quando viu uma mulher na frente de uma casa de campanha. Meu pai perguntou se ela queria cabeça e pés de porco, e a resposta foi: "Senhor, eu adoraria, mas o trabalho nos campos de carvão está fraco, e não tenho dinheiro". Meu pai explicou que ela não precisava pagar. Deu a ela e aos vizinhos todas as cabeças e pés de porco que haviam sobrado da matança daquele dia.

Meu pai não passava reto por alguém que estivesse pedindo carona quando ele estava perto de casa, nem ignorava um veículo quebrado. Lembro-me de um inverno quando meu pai estava trabalhando em uma mina profunda em Carvo, Virgínia, no turno das 15h às 23h. Era mais ou menos meia-noite, e ele voltava para casa quando passou pela cidade de Wise e deu carona para um rapaz que estava na estrada. Fazia um frio horrível, e o jovem estava na rua havia muito tempo. Meu pai não só deu carona, como também o levou para casa.

Na época, nossa família era composta por meus pais, três irmãos, uma irmã e eu, todos em uma casa de quatro cômodos. A casa tinha dois dormitórios, uma cozinha e uma sala de estar, sem banheiro.

Acordei na manhã seguinte com um dos meus irmãos e um adulto desconhecido. Ele devia estar morto de cansaço, porque meus pais o deixaram dormir até tarde. Quando o rapaz acordou, minha mãe serviu molho de carne, pão e bacon. Depois meu pai insistiu em levá-lo até Pound, a cidade mais próxima, e disse que, se ele tivesse dificuldades para conseguir carona, deveria entrar em uma loja e se aquecer. É o tipo de atitude que deixa um legado pelos atos de bondade com outras pessoas.

Minha mãe, que tem 89 anos, pode ter estudado somente até o sétimo ano, mas, como meu pai, sempre vê coisas que pode fazer pelas pessoas que a cercam todos os dias. Ela telefona para saber se os amigos idosos e os vizinhos estão bem, perguntar se tomaram o remédio e se precisam de ajuda. Ainda visita asilos diariamente e nunca perde uma chance de levar comida quando amigos ou vizinhos adoecem ou perdem alguém da família. Você não precisa ter dinheiro para deixar um legado; pode ter atitudes de bondade.

Espero que cada um de nós faça a diferença aprendendo com os outros algumas maneiras de ajudar os necessitados. Eu aprendi que não é preciso olhar muito longe para ver alguém sobre quem podemos ter um impacto positivo.

11

MENTORES

Peça o conselho dos anciãos, porque os olhos deles olharam no rosto dos anos e seus ouvidos ouviram as vozes da Vida. Mesmo que os conselhos deles o desagradem, preste atenção.
— KAHLIL GIBRAN (1883–1931)

Mentores são inestimáveis.

Em 1975 eu era gerente de filial de uma financiadora no leste do Tennessee. Era uma cidade agradável para morar, com grandes empresas como Eastman Chemicals, fornecedoras das Forças Armadas, fabricantes de vidro e uma editora, o que significava que havia muitos empregos bem pagos. Isso é importante para quem empresta dinheiro porque, quando há bons empregos, é mais fácil aprovar os empréstimos e receber dos contratantes.

Ser gerente de filial foi bom para mim. Embora tenha gerenciado quatro escritórios diferentes, tive que me mudar apenas duas vezes e consegui me formar em contabilidade e administração nos cursos noturnos da Universidade Estadual do Leste do Tennessee.

Um dia recebi um telefonema de um banqueiro da minha cidade natal, e ele sugeriu que me candidatasse a uma vaga em um novo banco aberto havia apenas um ano. O banco havia sido organizado por um grupo de homens da cidade, a maioria deles ligada à indústria da mineração de carvão nas montanhas Apalaches. Eu disse ao banqueiro que seria um prazer fazer uma entrevista no sábado, mas não seria correto participar de um processo de seleção em um dia útil, quando eu era pago por outra instituição financeira.

Fui entrevistado por James A. Brown, que, antes de completar trinta anos, tinha ajudado a organizar um banco comunitário local. Jim, como era conhecido, era formado em engenharia e tinha um emprego no ramo de carvão quando decidiu trabalhar por conta própria. Houve um *boom* do carvão na década de 1970, e muitos mineiros enriqueceram em pouco tempo.

Durante a entrevista, realizada no escritório de Jim, não no banco, ele disse: "Sabe, se um dia você trabalha alguns minutos a mais, chegando mais cedo e ficando até um pouco mais tarde que os outros, provavelmente não vai fazer muita diferença. Se fizer isso todos os dias por um mês, fará uma pequena diferença, mas, se fizer isso todos os dias por vários anos, sem dúvida se destacará". Eu já fazia isso na minha carreira, mas, depois de todos esses anos, ainda me lembro do conselho de Jim. Continuamos amigos e mantemos contato. Jim é uma das pessoas mais inteligentes que tive a sorte de ter por perto. Conselhos de pessoas como Jim têm um valor inestimável.

Outro a quem peço conselhos é Joseph C. Smiddy, conhecido pelos amigos como "Papa Joe". Você não precisa estar perto de Papa Joe por mais que um minuto para se sentir atraído por seu sorriso caloroso e gentil e seu senso de humor. Mais que qualquer outra pessoa, Smiddy é responsável pelo tremendo sucesso da Universidade da Virgínia-Wise. A instituição foi organizada em 1954 como Faculdade de Clinch Valley, com cursos de dois anos. A propriedade havia sido usada por indigentes durante a Grande Depressão, era chamada de "fazenda dos pobres", porque as pessoas que lá viviam ajudavam a plantar para comer. Assim, quando a faculdade foi inaugurada, muita gente a chamava de Universidade Fazenda dos Pobres, ou PFU (Poor Farm University).

O Dr. Smiddy integrou o conselho do banco em que fui presidente e chefe executivo. Ele tinha as características necessárias para ser um excelente mentor. Doc Smiddy era bem-educado, e suas habilidades de relações públicas eram simplesmente as melhores. Em ação, ele era bondoso e simpático com todos, independentemente de posição social ou financeira. Acima de tudo, Doc tinha aquela qualidade que supera todas as outras: integridade.

Lembro-me de uma vez em que tivemos um problema no banco. Em uma reunião do conselho em que o problema seria discutido, Doc disse: "Vou ficar do seu lado se você estiver certo, mas, se estiver errado, você ficará sozinho". Quando você sabe que está certo, o que mais pode pedir, além de uma declaração dessas?

Você não precisa concordar com seus mentores sobre assuntos como política e religião, mas a honestidade deles deve ser inatacável. O interessante sobre mentores é que você os encontrará acessíveis e disponíveis para dar conselhos. Muitas pessoas bem-sucedidas têm um desejo avassalador de ajudar os outros. Não tenha medo de pedir ajuda, especialmente nas áreas em que não tem expertise e conhece gente com o conhecimento que lhe falta.

Se você trabalha por conta própria ou tem outra ocupação além de seu emprego atual, seria bom procurar a orientação de um advogado. Se puder desenvolver um relacionamento de mentoria com ele, será excelente. Quando aceitei o emprego de presidente daquele banco local quase trinta anos atrás, tive a sorte de conhecer uma pessoa assim. William J. Sturgill era um advogado muito bem-sucedido com vários investimentos em imóveis e na mineração de carvão. Ele era filho de um mineiro de carvão e havia sido criado em circunstâncias muito parecidas com as minhas. Depois de ser dispensado do exército, integrou a primeira turma (1954) da Faculdade de Clinch Valley. Mais tarde, lecionou, comandou uma seguradora e concluiu a escola de direito.

Bill fez o trabalho legal referente à criação do banco, tomando as providências para sua organização, vendendo ações e obtendo um alvará do estado da Virgínia. Foi presidente do conselho até o banco ser vendido para um grupo de investidores.

Bill e eu normalmente almoçávamos juntos uma vez por semana, quando discutíamos questões do banco e outros assuntos de interesse mútuo. Um dia Bill mencionou que um amigo dele, Darrell Freddie Dean, um contador local, queria começar uma companhia de TV a cabo. Fui convidado a investir, e decidimos que não faríamos um empréstimo, mas usaríamos nosso próprio dinheiro. A companhia de televisão a cabo operou durante oito anos e foi vendida para uma das maiores empresas do ramo nos Estados Unidos. O investimento teve um tremendo retorno, o que foi possível graças aos relacionamentos que desenvolvemos ao longo dos anos.

Escolha um mentor (ou mentores), tente nunca desapontá-lo, exiba o mais elevado grau de integridade e vai se surpreender com quantas pessoas extremamente bem-sucedidas vão se dispor a compartilhar conhecimento com você.

> ## MENTORES
>
> Podemos aprender com os outros – até os macacos aprendem. Um mentor é um conselheiro que pode ajudar no desenvolvimento de outra pessoa.
>
> Jim Stovall é um excelente exemplo de mentoria. Primeiro, Jim teve os próprios mentores na infância em Tulsa, Oklahoma. Quando frequentava a Universidade Oral Roberts, Jim descobriu que estava perdendo a visão em consequência de degeneração macular, que era incurável.
>
> Em vez de se tornar um fardo para a sociedade, Jim foi mentorado e se tornou muito bem-sucedido vendendo ações por telefone. Ele recebia muitos convites para palestrar e explicar seu sucesso, e se tornou um palestrante muito procurado. Enquanto desenvolvia seus talentos, voltou-se para a escrita; escreveu dezesseis livros e se tornou um autor de *best-sellers* com milhões de cópias vendidas. Hoje Jim é mentor de muita gente, e seu desejo de retribuir é impressionante.

O motivo pelo qual você se sentirá atraído por pessoas bem-sucedidas é a lei da compensação de Ralph Waldo Emerson. Há mais de cem anos autores escreveram sobre a lei da compensação, que simplesmente estabelece que, se você fizer um trabalho excelente, ou será reconhecido por seu empregador e terá aumento de salário e promoções, ou outro empregador vai descobrir seus talentos e tirá-lo de seu emprego atual. Foi o que aconteceu comigo quando entrei para o setor bancário. Trabalhei com financiamento ao consumidor por cerca de treze anos e construí uma excelente reputação. O novo banco tinha só um ano de vida e uma tremenda carência de pessoal qualificado, principalmente em empréstimo e cobrança, minha área de especialização.

Nunca tive que procurar emprego em turno integral desde que fui contratado pela primeira vez. Os empregadores procuram você se suas capacidades forem as melhores em sua linha específica de trabalho. Você vai poder se vender com pouquíssimo esforço caso escolha associar-se a outras pessoas bem-sucedidas. Sucesso atrai sucesso, e fracasso atrai fracasso. Semelhantes se atraem – esse princípio não é novo, apesar dos livros recentes escritos sobre o assunto.

Minha querida mãe costumava dizer a mim e meus irmãos: "Diga-me com quem andas e te direi quem és". Provavelmente fingíamos não saber o que ela queria dizer, mas seu conselho foi tão valioso naquela época quanto é hoje. Somos todos criaturas sociais e adotamos com facilidade as características daqueles com quem passamos nosso tempo. Hoje me lembro do conselho do falecido Charlie "Tremendous" Jones, que disse: "Seremos os mesmos daqui a cinco anos, exceto por duas coisas: os livros que lemos e as pessoas que conhecemos".

Podemos aprender boas características de pessoas de mente positiva, mas precisamos nos afastar o máximo

possível de pessoas negativas. Nos tornamos como aqueles com quem nos associamos na maior parte do tempo.

O poeta alemão Goethe escreveu: "Conhecer alguém aqui ou ali com quem você possa sentir que existe entendimento, apesar da distância ou dos pensamentos expressados – isso pode fazer da vida um jardim". Nas minhas circunstâncias, fui abençoado com a possibilidade de conhecer os outros, aprender a entendê-los e fazer amizades duradouras.

Por exemplo, a Fundação Napoleon Hill fez negócios no Japão com a SSI Corporation, fundada e liderada por Tanaka Taka-aki. Embora uma grande distância nos separe, podemos conversar com regularidade, pessoalmente ou pelos meios de comunicação modernos. Construir e manter uma amizade assim é um bem que não tem preço.

Tanaka Taka-aki nasceu em Nakano, Tóquio, em 1945, e se formou em direito na Universidade Kokugakuin. Posteriormente ocupou vários cargos importantes na Comissão de Comércio Justo do Japão e no departamento de planejamento da Corporação Tokyu antes de fundar a SSI Corporation como CEO e presidente, em 1979.

De 1979 a 2007, Tanaka criou um sistema de aprendizado que chamou de SSPS-V2 e traduziu várias obras, inclusive o *Programa Napoleon Hill*. O desenvolvimento da máquina Hyper Listening recebeu um certificado de reconhecimento do *Guinness Book of World Records*.

Tanaka é um autor famoso, e seus trabalhos giram em torno de automotivação, poder mental e pensamento acelerado. Em outro gênero, escreveu livros sobre as línguas japonesa e tâmil. Suas traduções cobrem uma ampla variedade, de textos inspiradores de Napoleon

Hill, inclusive *Think and Grow Rich*, até um *Dicionário Etimológico Dravidiano*.

Tanaka foi nomeado curador honorário da Fundação Napoleon Hill e, em março de 2003, tornou-se o primeiro japonês a receber a Medalha de Ouro Napoleon Hill. Ele é um verdadeiro empreendedor e em 2004 esteve entre os dez maiores pagantes de impostos do ano fiscal no Japão.

12

OPORTUNIDADES

Descobrir para o que se tem vocação e garantir uma oportunidade de desenvolvê-la é a chave da felicidade.

— JOHN DEWEY

Tenho certeza de que você já ouviu falar que obstáculos podem ser usados como degraus. Estive envolvido no ramo imobiliário durante toda a minha vida adulta e aprendi que a maior oportunidade que você pode ter para agir é na solução do problema de alguém.

Há cerca de quinze anos, dois conhecidos advogados da minha cidade natal enfrentaram problemas que acarretaram a falência de sua firma. Os advogados tinham um terreno localizado em um semáforo em uma grande rodovia de quatro pistas, um ponto de grande visibilidade. Dizem que há três coisas importantes no ramo imobiliário: "localização, localização e localização". Essa propriedade tinha tudo.

Embora o imóvel não tivesse sido anunciado, eu sabia da situação dos advogados e pensei que aquele podia ser um bom momento para comprar o terreno. Para qualquer comprador, a melhor oportunidade surge quando o vendedor quer ou precisa vender. Fiz contato com um dos proprietários, que determinou o preço. Fiz uma contraproposta, e ela foi aceita. Comprei o terreno por cerca de US$ 150 mil e mais tarde vendi por US$ 2 milhões, com um retorno de 1.300%.

Relato esse exemplo não para mostrar que negócio fantástico eu e meus sócios fizemos quando o terreno foi comprado para a construção de um Walmart Supercenter, mas para ajudá-lo a entender que uma coisa que é um problema para uma pessoa é uma oportunidade para outras. Ficar alerta aos assuntos de seu interesse onde surgem problemas permite que você pegue o problema e crie uma oportunidade.

Quando eu trabalhava em banco, fiquei sabendo de um terreno de 92 acres à venda na área de Cumberland Gap, no condado de Lee, Virgínia. A região é conhecida como Estrada do Deserto, e Daniel Boone e seus seguidores passaram por ela, ajudando a desbravar novos territórios para os pioneiros que procuravam aventura e um futuro melhor. A terra é florestada e muito escarpada. Aquele terreno continha uma fonte mineral conhecida pelos locais como Blue Willow Spring (Fonte do Salgueiro Azul). Joseph Smiddy, conhecido como Papa Joe, disse que as pessoas gostavam tanto da água que aquelas que se mudavam para o norte em busca de emprego, quando vinham em visita, iam até a fonte e enchiam recipientes plásticos para levar.

Me interessei por água mineral há muitos anos, enquanto trabalhava em banco. Vi a crescente necessidade e desejo das pessoas por água mineral natural como substituto para os refrigerantes cheios de açúcar. Comecei a ler, estudar e coletar dados sobre o ramo de água mineral e vi que Coca-Cola, Pepsi Cola, Nestlé e outras corporações multibilionárias estavam entrando no negócio. Não vou entrar em detalhe sobre água mineral, mas alguns fatos que descobri são interessantes. Primeiro, para ser chamada de água mineral, a água precisa ser engarrafada na fonte (na nascente onde se origina), e segundo, transportar água por grandes distâncias é muito caro, por isso seriam necessárias muitas fontes diferentes para suprir os Estados Unidos com água engarrafada.

Quando eu e meus sócios Earl Wendell Barnette, Ben Sergent e Milas Frank descobrimos que esse terreno de 92 acres com uma fonte conhecida por produzir água aos moradores da região por mais de cem anos podia ser comprado, o momento não poderia ser melhor. Um casal de idosos sem filhos queria vender a propriedade e deixar o dinheiro para os sobrinhos. Esse é só um exemplo de estar preparado e pronto quando o desejo de vender de uma pessoa se torna uma oportunidade para outras. É claro que a transação foi muito boa para os dois lados. Os vendedores conseguiram o que queriam, e nós, compradores, fizemos um bom negócio (ou eu não estaria contando a história).

Estudar tendências em transformação e "chegar cedo" é uma lição que só pode dar lucros, tanto financeiros quanto em termos de satisfação pessoal. Anos atrás, eu estava com Ben Sergent e Wendell Barnette, dois amigos muito antigos, sócios e parceiros de golfe, e, depois de um jogo, paramos em uma das lojas de conveniência de Wendell e compramos água engarrafada. Um dos funcionários de Wendell nos viu e disse que não conseguia acreditar que as pessoas pagavam por água. Esse é só um exemplo de como algumas pessoas conseguem enxergar uma oportunidade e outras não, ou só conseguem ver quando é tarde demais para tirar proveito.

Eu poderia relacionar muitas outras histórias sobre oportunidade, mas acho que você entendeu o recado: é preciso estar alerta e preparado para agir quando as oportunidades surgirem. Tenha sempre papel e caneta por perto. É comum eu acordar com ideias na cabeça. Imediatamente pego um bloco e anoto meus pensamentos enquanto ainda estão frescos. Depois que anotar seus pensamentos, mantenha-os em fichas 3 x 5 bem à mão. O simples fato de manter as ideias por perto o deixará propenso a enxergar oportunidades que o ajudarão a realizá-las.

As oportunidades se apresentam todos os dias, e você pode aprender a se preparar para agir. Lembre-se: todas as oportunidades do mundo são uma bênção só para aqueles que partem para a ação.

Enquanto eu atuava no mercado bancário, muita gente me falava do tempo em que poderia ter comprado as ações do banco por US$ 3 a cota; claro que não compraram. Ter agido teria dado a elas um retorno de 600% no investimento. Claro, quando você faz algum investimento, pode perder parte do dinheiro ou todo ele, mas calcular os riscos e dividir o capital entre diferentes ativos ajuda a dar alguma proteção.

Este livro não é um manual do tipo "enriqueça rápido", mas pretende lembrar que você deve seguir princípios sólidos, educar-se e investir naquilo de que entende; se você não entende em que está investindo, deixe o investimento para outras pessoas. Se algum dia se sentir tentado a ficar rico depressa, lembre-se do versículo da Bíblia que diz que, se é para alguém enriquecer, que enriqueça lentamente. Isso é para ajudá-lo a obter não só dinheiro, mas também, mais importante, conhecimento.

Notei que, quando a pessoa tem um desejo ardente de realizar algo, começa a ver coisas no seu caminho que podem ser muito úteis na busca do sucesso. Vou dar um exemplo do que quero dizer com isso de que você vai começar a notar coisas que provavelmente não teria notado ou em que teria prestado bem pouca atenção antes.

Você já comprou um carro novo? Lembra quando comprou um Ford Mustang vermelho ou um BMW preto novo e de repente começou a ver carros exatamente iguais ao seu? Não é que não estivessem ali antes, é que, após comprar um carro de determinado modelo e cor, você começou a notar outros iguais ao seu. A maioria provavelmente já estava lá.

Isso pode ser aplicado às oportunidades. Se o seu objetivo é comprar, desenvolver ou vender imóveis, vai reparar em possibilidades de adquirir propriedades e ter um bom lucro. Alguns negócios potenciais que muita gente não vê podem não apenas ser lucrativos, mas também render uma fortuna.

Quando você tem objetivos, provavelmente vê muitas oportunidades que do contrário não veria.

Quando eu trabalhava no mercado bancário como CEO, já era um leitor habitual de obras de desenvolvimento pessoal, biografias, autobiografias e histórias de gente que foi da miséria à riqueza, como os livros de Horatio Alger para meninos. Devido à minha especial predileção por Napoleon Hill, fui convidado a palestrar na sociedade histórica de Pound, Virgínia. A localidade fica próxima de onde Hill nasceu em 1883.

Falando para um pequeno grupo, comentei que Napoleon Hill havia nascido em Pound River, perto de onde Francis Gary Powers cresceu. Powers tornou-se uma figura mundial quando seu avião espião U-2 foi derrubado sobre a União Soviética, em 1960, e ele saltou de paraquedas. Powers foi capturado, exposto publicamente, julgado e condenado a cumprir pena em uma prisão soviética. Isso aconteceu durante a administração de Eisenhower, no auge da Guerra Fria. Powers havia sido recrutado pela CIA (Agência Central de Inteligência) para fazer voos de reconhecimento sobre a União Soviética.

Em 1º de maio de 1960, Powers viu algo que parecia uma instalação de mísseis e voou abaixo da altitude normal para fotografar. Foi descoberto pelos soviéticos, que dispararam um míssil, provocando grandes danos ao avião leve de espionagem. Powers, único ocupante da aeronave, foi obrigado a saltar de paraquedas.

O incidente despertou meu interesse, por diversas razões. Primeiro, eu conhecia o pai de Powers. Ele costumava me dar carona pela manhã, quando eu ia para a escola. Cresci em uma área montanhosa, e o ônibus escolar não passava onde eu morava. Oliver Powers tinha muito orgulho do filho, que, depois do ensino médio, fez faculdade no leste do Tennessee e, formado, alistou-se na Força Aérea dos Estados Unidos. Dali foi recrutado pela CIA para conduzir voos de espionagem para o governo norte-americano.

Em 1º de maio de 1960, Powers deixou a base norte-americana em Peshawar, Paquistão, para o voo fatídico. O pai de Powers tinha me contado que o filho voava para colher informações meteorológicas. Depois que Gary foi sentenciado à prisão na União Soviética, Oliver Powers, ex-mineiro de carvão e na época dono de uma sapataria, apelou para Nikita Khrushchev, o premiê soviético, pedindo para ele ser "justo com meu menino". Ele disse que tinha certeza de que Khrushchev o ouviria por ser um ex-mineiro de carvão falando a outro. Um ano e meio depois, os Estados Unidos conseguiram assegurar a libertação de Powers trocando-o por um espião soviético mantido preso sob o nome falso de Rudolf Abel.

Depois da palestra, fui procurado pela filha de Oliver Powers. Ela disse que era irmã de Francis Gary Powers e me deu uma foto do ex-prisioneiro em seu uniforme da Força Aérea.

No carro a caminho de casa, depois da palestra, ouvi uma fita de W. Clement Stone. Ao chegar, peguei o bloco de papel que mantinha sobre o criado-mudo ao lado da cama para o caso de acordar com alguma ideia. Escrevi para a Fundação Napoleon Hill, então situada em Northbrook, Illinois, e falei de meu interesse por Napoleon Hill. Stone era presidente do conselho na época, Charlie Johnson era o presidente da fundação, James Oleson era o vice, e Mike Ritt era o diretor executivo.

Recebi uma carta de Mike Ritt me convidando para ir a uma reunião do conselho de administradores em Chicago. Fui e esperei até Stone sentar-se, para poder sentar-me ao lado dele. Foi empolgante conhecer alguém da posição de Stone. Ali estava um cavalheiro de uns 90 anos de idade e um exemplo vivo do que era possível realizar na vida. Eu tinha lido a história de Stone sobre viver na região barra-pesada de Chicago aos 6 anos de idade.

Stone apanhava constantemente dos meninos mais velhos na disputa pelo espaço nas ruas para vender jornal. Um dia entrou em um restaurante da região enquanto o café da manhã era servido; foi prontamente retirado do estabelecimento... mas antes vendeu alguns jornais e recebeu gorjeta. Stone continuou voltando, porque ser retirado do restaurante era menos perigoso do que apanhar dos meninos maiores na rua. Foi expulso várias vezes, até os clientes tomarem sua defesa e convencerem o proprietário a deixar o pequeno jornaleiro empreendedor vender seu produto lá dentro.

Stone aprendeu uma importante lição sobre persistência e sobre não desistir diante da adversidade. A lição o acompanhou por toda a vida, até os cem anos. Quando morreu, Stone havia planejado uma celebração de sua vida. Tive a sorte de ser convidado para aquele dia de homenagem a um homem que doou mais de US$ 400 milhões em benefício da humanidade.

O que começou como um simples convite para falar para um pequeno grupo histórico local me deu a chance de criar uma oportunidade que ajudou a Fundação Napoleon Hill a gerar milhões de dólares, distribuir bolsas de estudo em homenagem a Napoleon Hill e criar uma cadeira na Universidade da Virgínia-Wise em nome de Napoleon Hill. Quando Mike Ritt se aposentou, fui convidado pelos outros curadores para me tornar vice-presidente executivo (chefe executivo) da Fundação Napoleon Hill. Esse é só um exemplo de como você pode criar oportunidades dando passos que sigam sua imaginação na medida do possível.

As oportunidades muitas vezes estão à nossa volta, e às vezes a única decisão a tomar é qual delas você quer abraçar. Lembre-se do que Earl Nightingale disse certa vez: "Podemos fazer qualquer coisa que quisermos, mas não podemos fazer tudo". Então, estude suas oportunidades e decida quais delas quer abraçar depois de ter fatos suficientes para seguir em frente.

Tendo sido banqueiro por quatro décadas, ainda assino o *Wall Street Journal*. Recentemente, saiu um artigo de primeira página sobre um professor da Universidade de Teerã, no Irã, que publicou

Grow Rich with Peace of Mind, de Napoleon Hill. O artigo explicava o grande interesse da juventude do Irã no movimento de desenvolvimento pessoal. Recortei e guardei o artigo. Para mostrar como os empreendedores pensam, Bob Johnson, nosso advogado de direitos autorais e investidor de sucesso, também recortou o artigo e mandou para mim pelo correio!

Poderia ter sido apenas um artigo interessante e fim, mas eu vi uma oportunidade. Pedi a "Chino" Martinez, meu auxiliar administrativo, para pesquisar no Google um contato do professor iraniano. Em seguida, Annedia Sturgill, minha assistente executiva de longa data, mandou um e-mail para o professor, que, por alguma razão, não foi entregue.

Esse poderia ter sido o ponto final, mas foi só um passo que não deu certo. O passo seguinte foi ligar para a redação do *Journal*, dizer que eu era assinante e perguntar como eu poderia entrar em contato com a correspondente que havia produzido o artigo. Consegui um e-mail da correspondente em Beirute, no Líbano, escrevi prontamente para ela, expliquei que havia gostado da matéria sobre o movimento de desenvolvimento pessoal no Irã e queria entrar em contato com o professor da Universidade de Teerã. Na manhã seguinte ela respondeu.

A ação a partir do reconhecimento dessa oportunidade sem dúvida vai gerar muito dinheiro para a Fundação Napoleon Hill e criar amizades em outra parte do mundo. Também me lembrei do lema da Fundação Napoleon Hill: fazer do mundo um lugar melhor para viver.

> ## RESPONSABILIDADE
>
> Ser responsável significa concluir uma tarefa de maneira satisfatória. É fácil encontrar alguém para culpar quando você não é bem-sucedido. Muitos anos atrás, um jovem banqueiro mantinha uma placa sobre sua mesa com a inscrição: "Se é para ser, depende de mim". Isso significa assumir a responsabilidade por si mesmo e olhar para o espelho sabendo que fez o melhor. Assumir a responsabilidade vai permitir que você viva uma vida com poucos arrependimentos.

Como chefe executivo da fundação, sou convidado para muitos eventos e periodicamente escolho alguns a que comparecer. Há vários anos fui convidado para uma reunião da organização Guideposts em Cleveland, Ohio. O Guideposts é um grupo de muito prestígio operado pelos sucessores de Norman Vincent Peale, autor de muitos *best-sellers*, mas mais conhecido por *O poder do pensamento positivo*. O evento foi realizado em um dos hotéis mais famosos de Cleveland.

Cada participante recebia um crachá de identificação. O meu, por exemplo, dizia apenas "Don Green, Wise, Virgínia". Depois de nos sentarmos às mesas, nos apresentamos. A mulher ao meu lado perguntou: "Onde fica Wise, Virgínia?". Respondi que Wise fica na região sudoeste do estado, nas montanhas Apalaches. Ela então perguntou: "Não tem muita pobreza onde você mora?". Respondi "Sim", tentando encurtar a conversa, pois as pessoas estavam se apresentando e eu achava indelicado ficar conversando. O comentário seguinte foi alguma coisa como: "Ninguém pode fazer nada para ajudar essa gente pobre?".

Assim que tivemos um intervalo, virei para a mulher que insistia em falar sobre pobreza nas montanhas Apalaches. Não sentia raiva dela, só pena. Sem dúvida ela sabia da pobreza nas montanhas onde eu morava por meio de velhos programas de televisão, como *A família Buscapé* e *Green Acres,* e documentários como o de Rory Kennedy, filha do senador Robert Kennedy e sobrinha do presidente John F. Kennedy. A maior parte das notícias era exagerada ou focada em histórias como a rixa Hatfield-McCoy.

Eu disse à senhora que, quando cheguei no aeroporto de Cleveland, a limusine que me esperava me levou ao hotel no centro da cidade passando pelo estádio de beisebol do Cleveland Indians. Contei a ela que, no trajeto para a cidade, vi várias pessoas embaixo de uma das muitas pontes por lá, aparentemente *morando* embaixo da ponte. Informei a ela que na nossa região eu nunca tinha visto um morador de rua e acreditava que, se existisse alguém nessa situação, os vizinhos ajudariam. Encerrei a conversa, talvez de forma um pouco brusca, dizendo a ela que havia pobres e ricos em todos os lugares. Meu conselho para ela, caso conseguisse lembrar o que eu havia contado, era que pobreza e riqueza são produtos da mente.

Para o leitor: por favor, entenda que há pobreza nas montanhas Apalaches, como em todas as partes do mundo. As montanhas produziram personalidades do esporte, como meu amigo Carroll Dale, All-American e campeão do Super Bowl pelo Green Bay Packers; Thomas Jones, outro All-American e All-Pro do futebol; autores de destaque como Adriana Trigiani; e super-ricos que, por razões pessoais, não vou identificar.

Riqueza e pobreza são produtos da mente humana. Primeiro temos um pensamento, depois temos um plano para a realização, depois passamos à ação e persistimos até obter os resultados desejados.

Você provavelmente já ouviu o ditado "A grama do vizinho é sempre mais verde – mas ainda precisa ser cortada". Não importa onde você esteja, vai ter que cumprir as etapas que todas as outras pessoas bem-sucedidas cumpriram. Você pode ser mais rápido ou mais lento para realizar seu sonho. O importante é que os sonhos são seus, e, se você precisa de ajuda, deve procurar mentores sábios e seguir seus sonhos na estrada para o sucesso.

Você é a única pessoa que pode fazer de si mesmo um sucesso ou um fracasso, a decisão é sua e só sua.

Se você for bem-sucedido, lembre-se de que em algum lugar, em algum momento, alguém lhe deu um impulso ou uma ideia que o orientou na direção certa. Lembre-se também de que você está em dívida com a vida até ajudar alguém menos afortunado, assim como você recebeu ajuda.

— NAPOLEON HILL

13

VISUALIZAÇÃO

A grandiosidade do homem reside em seu poder de pensamento.
— BLAISE PASCAL

visualização é um dos processos mais poderosos e mais úteis para realizarmos o sucesso que desejamos na vida. Como tão habilmente afirmou Ella Wheeler Wilcox:

A coisa que você mais deseja espera ao longe,
Envolta em silêncios, invisível e entorpecida,
Essencial para sua alma e sua existência –
Viva à altura dela – chame, e ela virá.

Como diretor executivo da Fundação Napoleon Hill, tenho meu escritório no campus da Universidade da Virgínia-Wise. Um dia um visitante me perguntou: "Como você aguenta aquele barulho de obra?". Eu havia me condicionado a não ouvir os barulhos da obra ao lado, onde estavam construindo um alojamento para 116 alunos.

De certa forma, podemos aprender a ver o que queremos ver, mas o ponto importante de sermos capazes de ver o que queremos ver é o que fazemos depois de vislumbrar um caminho melhor. Um provérbio japonês afirma com inteligência: "Visão sem ação é um devaneio. Ação sem visão é um pesadelo". Descobri que o que alguém recebe como compensação se refere ao tempo e às obrigações que desempenha no presente, mas os maiores salários são pagos àqueles que têm visão de futuro.

Passei 38 anos no setor bancário, dezoito deles no cargo mais alto de uma instituição de poupança e financiamento. Fui contratado aos 41 anos – e não foi por conexões familiares ou por causa da minha riqueza, mas provavelmente porque o banco estava literalmente falido.

Isso foi em 1983, quando os juros subiram a perder de vista (os bancos pagavam cerca de 20% pelos depósitos) e os empréstimos hipotecários de trinta anos a juros fixos partiam de 6%, mas a média era quase 10%. Era uma situação terrível, e muitos bancos fecharam. Os bancos de poupança foram mais duramente atingidos, por várias razões, mas o motivo principal foi a lei que regulamentou as taxas que poderiam ser pagas pelos depósitos.

Bancos de poupança não podiam fazer financiamento pessoal ou comercial, que têm maturidade menor e com isso dão ao credor uma chance de aumentar os juros dos empréstimos. O financiamento da casa própria tinha taxa fixa para até trinta anos. Conto essa história não para impressionar, mas para explicar como eu enxergava a situação e a visão de futuro que tive.

O banco havia perdido US$ 1,5 milhão nos três anos anteriores e tinha apenas US$ 35 mil de capital restante. Pouco antes de eu assumir o cargo de CEO, os auditores planejavam fechar a firma. Eu vi um futuro com a redução dos juros e a crise do petróleo ajudando o banco, pois a região era grande produtora de carvão.

Dediquei-me ao trabalho com a ideia de que tudo que eu havia vislumbrado se realizaria no futuro próximo. Aos 41 anos, assinei um contrato de trabalho de dez anos por um salário que não era imenso, mas daria à minha família uma vida confortável. O que vi no contrato foi a opção para duzentas mil ações a US$ 3 cada. As ações não tinham nenhum valor na época, mas eu me vi milionário.

Para fazer isso acontecer, eu tinha que levar a cota a US$ 8. Se conseguisse, com um custo de US$ 3 teria um lucro de US$ 1 milhão. Não saí gastando esse futuro milhão de dólares, mas me vi com ele. Depois de um tempo, vendi as ações por US$ 14 ou mais.

Visitei a Sobel's, uma famosa loja masculina em Kingsport, Tennessee. A Sobel's era famosa por ter os melhores ternos, e lembro-me da primeira vez que fui lá. A loja oferecia atendimento especializado e podia tirar medidas para um bom terno. Um cartaz atrás do caixa dizia: "Se você quer ser um sucesso, vista-se de acordo". Sempre me lembrei desse cartaz e sempre me vesti de acordo porque o público espera isso e tende a respeitar aqueles que atendem a essa expectativa.

Enquanto era presidente do banco, fui convidado para lecionar em um curso noturno que criei na Universidade da Virgínia-Wise. O curso sempre teve boa frequência. Lembro-me de uma turma em particular que tinha um advogado, um contador, um médico e um empresário multimilionário. Lecionei nos dois semestres do curso por vários anos, até o governador da Virgínia me indicar para o conselho da universidade. O estatuto da universidade não permite professores no conselho, e deixei de lecionar, embora faça palestras como convidado de vez em quando.

Em uma turma em particular, um aluno comentou que não era justo as pessoas serem tratadas de maneira diferente por se vestirem melhor ou pior que outras. Eu disse ao aluno que na vida é preciso lidar não só com o que se considera justo, mas com a realidade.

Recentemente, levei minha mãe, de 89 anos, para homenagear um parente distante fora da cidade. Quando estávamos na recepção, fui abordado por uma aluna da primeira turma para a qual lecionei na Universidade da Virgínia-Wise, chamada Julia McAfee. Ela recordou que eu havia pedido aos alunos do curso "Chaves para o sucesso" para escrever seus objetivos. Julia contou que se imaginou como advogada e que ainda tinha aquele trabalho (lembre-se de que os objetivos devem ser escritos para se tornarem um contrato com você mesmo). Hoje ela é uma advogada muito bem-sucedida e uma pessoa de destaque na comunidade.

Eu poderia relacionar muitas outras histórias de sucesso de alunos que fizeram o curso "Chaves para o sucesso". Todos eles, tenho certeza, reconheceriam que o material ajudou. Sei que aprendi muito como professor, porque a preparação adequada de cada aula exigia esforço prévio de minha parte.

É importante que você se veja como um sucesso, embora, pelos padrões de algumas pessoas, você possa não ser bem-sucedido no presente momento.

Por eu ter sido capaz de ver o futuro, o banco faturou US$ 90 mil no primeiro ano completo de operação depois da minha chegada, mais de US$ 200 mil no segundo ano e assim por diante, até serem dezoito anos de lucros anuais. Com base nos lucros, ganhei um carro novo, aumento de salário e alguns benefícios. Vendi minhas últimas ações quando estava com uns sessenta anos e segui em frente para um novo papel na Fundação Napoleon Hill.

Mas este não é um livro sobre o mercado bancário – ou só sobre mim –, e conto minha experiência no setor apenas como o exemplo de alguém que vislumbrou o futuro e agiu *como se* ele fosse real até a visão se tornar realidade. Ao mesmo tempo, entendo completamente a afirmação de Ben Sweetland de que "sucesso é uma jornada, não um destino".

Para abordar um problema que precisa ser resolvido, primeiro você precisa obter informação válida sobre o problema. Hoje, mais que em qualquer período da história, vivemos em uma era de informação. Problemas requerem que você estude fatos e dados se desejar realmente solucioná-los.

O grande escritor Elbert Hubbard disse: "O maior erro que você pode cometer na vida é viver o tempo todo com medo de errar".

Para resolver problemas, você deve antes visualizar uma solução em sua mente.

Tudo que toma uma forma material é primeiro um processo mental. A criatividade vem da mente, é a capacidade de conceber soluções e nutrir ideias que você não tinha antes de empregar seu processo de pensamento. Visualize imagens das coisas que você quer que aconteça; quando faz isso com bastante frequência, o futuro que você vislumbra pode se tornar uma realidade.

O uso de sua visão ajuda a focar nas coisas não como são, mas como você quer que sejam. Por exemplo, se você está acima do peso, a visão do peso ideal pode levá-lo do pensamento à ação e à realidade de alcançar o objetivo.

> ## VISUALIZAÇÃO
>
> Christian Kent Nelson, um imigrante dinamarquês, tinha uma loja de doces para complementar a renda de professor. Em 1920, quando um menino entrou em sua loja, em Iowa, e não conseguiu decidir se gastava o dinheiro em uma barra de chocolate ou um sorvete, Nelson teve a ideia de derreter chocolate em cima de fatias de sorvete.
>
> A nova criação foi vendida originalmente com o nome de I-Scream Bars; mais tarde o nome mudou para Eskimo Pie. Nelson ficou rico graças a uma ideia simples que foi capaz de visualizar. Você pode fazer a mesma coisa.
>
> Lembre-se: visualização é conseguir enxergar com os "olhos internos" o que pode se tornar realidade.

O uso da visualização é muito importante porque você precisa ver ou visualizar o que quer, não o que *não* quer. É importante focar na visualização positiva. Se você é pobre, não vai ver ou visualizar pobreza, mas riqueza. Você precisa controlar seus pensamentos se quiser controlar suas condições. Existe a tendência de que os eventos sigam seu processo mental e se tornem reais, quer você os deseje ou não. Lembre-se sempre da citação de Jó: "O que eu temia veio sobre mim; o que eu receava me aconteceu". Esse é um exemplo perfeito da visualização negativa.

Em 1934, na formatura da Escola de Ensino Médio de Wise, no sudoeste da Virgínia, o orador de abertura foi Napoleon Hill, que havia escrito os oito volumes de *The Law of Success*. Hill havia se tornado tão bem-sucedido durante os anos da Grande Depressão que os *royalties* das vendas de seu livro permitiram que ele comprasse um Rolls-Royce, atestando a tremenda demanda por sua obra sobre a filosofia do sucesso.

Entre os jovens formandos que ouviam Hill estava Marvin Gilliam, que a seguir frequentou a Faculdade de Michigan, no Tennessee. Depois de ingressar no Exército dos Estados Unidos, Gilliam serviu como major com o general George Patton na Segunda Guerra Mundial. Quando a guerra acabou, ele voltou para a Escola de Ensino Médio de Wise, onde lecionou inglês e história.

Fui aluno de Gilliam no ensino médio e aprendi a apreciar o gênio tranquilo que ele era. Lembro-me de um dia em particular quando ele leu o poema "Andrea del Sarto", de Robert Browning, que diz: "O alcance de um homem deve exceder sua capacidade/ Ou para que serve um paraíso?". Lembrei esse incidente centenas e centenas de vezes ao longo da vida. A única explicação de Gilliam foi que se deve tentar melhorar sempre, dia após dia. Simples, mas profunda.

Depois de se aposentar, Gilliam e a esposa, Betty, que lecionava arte na Faculdade de Clinch Valley, onde mais tarde estudei, mudaram-se para uma cidade próxima. Em um fim de semana, minha esposa e eu fomos ao shopping center local e, ao sair de uma lanchonete depois do almoço, encontramos os Gilliam e tivemos uma interessante conversa com eles. Marvin Gilliam disse que tinha lido nos jornais sobre meu envolvimento com a Fundação Napoleon Hill e contou sobre sua formatura em 1934, quando Napoleon Hill foi orador.

Perguntei se ele lembrava sobre o que Hill havia falado, e ele disse que havia sido sobre o poder do pensamento. Gilliam lembrou também que o diretor da escola, L. F. Addington, comentara sobre a eloquência de Hill. Eu mal podia esperar para anotar o que meu professor dizia com base em sua experiência pessoal e testemunho ocular. Vou guardar para sempre com carinho essa conversa com Marvin e Betty Gilliam.

Alguns anos mais tarde, recebi um telefonema da Sra. Gilliam informando da morte do marido. Ela me convidou para segurar o caixão, o que considerei uma honra.

Em seu clássico *Think and Grow Rich*, publicado pela primeira vez em 1937, Hill disse: "Não há limitações para a mente, exceto as que reconhecemos. Pobreza e riqueza são filhas do pensamento".

Em março de 2004, na reunião anual do conselho de curadores da Fundação Napoleon Hill, mencionei que gostaria de fazer um livro sobre o sucesso entre hispano-americanos. Sabia que a demografia nos Estados Unidos estava mudando e que a população latina crescia em ritmo acelerado. Os latinos se tornavam rapidamente uma parte cada vez mais importante do mercado de trabalho, e eu achava que a Fundação Napoleon Hill, com seu histórico de livros de desenvolvimento pessoal, cursos, seminários e trabalho em prisões deveria saudar os latinos e publicar um livro sobre latinos bem-sucedidos e como haviam alcançado o sucesso. O livro serviria de inspiração para os latinos, mostrando que os Estados Unidos ainda eram uma terra de oportunidades, onde todo mundo poderia ser bem-sucedido seguindo alguns princípios simples. Que melhor maneira haveria de compartilhar essa mensagem senão com histórias de latinos bem-sucedidos em vários campos de atuação?

Phil Fuentes, um latino tremendamente bem-sucedido e curador da Fundação Napoleon Hill, comentou: "Conheço a pessoa ideal para o trabalho". Estava se referindo a Lionel Sosa, especialista em mídia e criador da maior agência de publicidade hispânica nos Estados Unidos.

Lionel tomou conhecimento dos princípios do sucesso quando trabalhava como pintor de cartazes por US$ 1,10 a hora. Ele foi convidado para criar um cartaz anunciando um curso sobre os princípios do sucesso de Napoleon Hill. A curiosidade o fez perguntar sobre o que seriam as aulas; ao ouvir a resposta, pegou US$ 200 emprestados para fazer o curso. Durante as aulas sobre sucesso, Lionel decidiu que, em vez de pintar cartazes por US$ 1,10 a hora para sustentar esposa e filhos, ele deveria criar a própria agência de propaganda. Lionel abriu uma firma, conhecida como Sosa e Associados, em 1980, e ela se tornou a maior agência latina de publicidade nos Estados Unidos. Seria muito aconselhável você adquirir o livro de Sosa, *The Americano Dream: How Latinos Can Achieve Success in Business and in Life*, e ler a história.

Em maio de 2004, Phil Fuentes organizou uma viagem a Chicago para eu comparecer ao banquete latino anual no Hilton. Viajei com minha filha, Donna, que gostou de conhecer Lionel e Kathy, a esposa dele. Kathy, como minha filha, é decoradora de interiores. Passei dois dias com Lionel e disse o que queria fazer. Lionel me deu uma cópia de seu livro e o autografou com a mensagem: "Para Don Green – Meu sonho americano é trabalhar para a Fundação Napoleon Hill e com você!".

Com a ajuda de Robert Johnson, advogado e antigo assistente da Fundação Napoleon Hill, conseguimos estruturar um acordo pelo qual Lionel escreveria histórias de latinos bem-sucedidos. Lionel se ocupou escrevendo sobre latinos como Alberto Gonzales, que se tornou procurador-geral dos Estados Unidos na administração de George W. Bush. Assim que o livro foi começado, oferecemos a uma importante editora de Nova York a oportunidade de revisar a primeira parte do manuscrito, e a firma indicou que gostaria de publicar o livro primeiro em capa dura, depois com capa comum e por fim em uma edição de bolso. Bob Johnson preparou um contrato com a editora, e assinei em nome da Fundação Napoleon Hill.

O passo seguinte era divulgar o livro. Considerando a experiência da editora e o gênio da mídia que era Lionel Sosa, a ideia de publicar um livro para latinos parecia boa, para dizer o mínimo. Lionel tinha um excelente histórico de marketing com a população latina, especialmente nos Estados Unidos.

Lionel havia preparado a publicidade de John Tower na disputa para o Senado dos Estados Unidos pelo Texas. A campanha foi um sucesso, em parte pelo apoio latino. Sucesso gera sucesso, e Ronald Reagan procurou o apoio de Sosa para conseguir os votos latinos no Texas e na Califórnia em suas duas eleições para a Presidência. Mais tarde, George W. Bush procurou a ajuda de Sosa na campanha para governador do Texas e nas duas campanhas presidenciais bem-sucedidas.

Por fim, houve muitas reuniões com a editora e outros, mais uma reunião com Lee Scott, CEO do Walmart, para promover o livro, intitulado *Think and Grow Rich: A Latino Choice*.

Para os que estão lendo ou estudando este livro porque foram atraídos pelo título, um lembrete: primeiro há um pensamento, que depois se desenvolve em visão. Depois essa visão tem que ser trabalhada em um plano de ação. A ação vai produzir um resultado definido.

Sem ação, um sonho é só isso e pode entretê-lo por um breve período.

Se necessário, volte e leia novamente esta seção e siga os passos simples que podem transformar uma ideia em um produto capaz de produzir milhões de dólares em vendas. A ideia do livro não só gerou empregos diretos na redação, edição, marketing e vendas, como também sem dúvida terá um profundo efeito positivo na vida de leitores nesta e nas próximas gerações.

Nossa saúde é muito influenciada por uma alimentação correta, exercícios, sono adequado e coisas do tipo, mas também é afetada por nossa mente, seja de maneira positiva, seja negativa. Preocupar-se é uma forma de imaginação negativa e pode ter um tremendo impacto em nossa saúde. Por outro lado, aprender a criar imagens positivas pode ajudar a eliminar o estresse e transformar hábitos negativos em positivos.

As imagens são um componente importante do processamento de informação e de como vemos as coisas mentalmente. As imagens nos permitem usar pensamentos para ver, cheirar ou sentir o sabor de várias coisas, ou, em outras palavras, usar nossos sentidos para recapturar o passado a partir das lembranças ou visualizar o futuro por meio de sonhos e objetivos.

Você controla seu destino, riqueza e felicidade na medida em que consegue pensar nesses elementos de seu futuro, visualizá-los e vê-los de tal forma que promova sua concretização. Assim, o poder que vai permitir que você leve uma vida produtiva está em sua mente.

O poder do pensamento tem sido muito comparado a um jardim fértil. Com o cuidado adequado, o jardim fértil se torna produtivo graças à atenção que recebe. Se é negligenciado, o jardim produz erva daninha. A mente nunca descansa, ou está construindo, ou destruindo. Ela produz riqueza ou pobreza, sucesso ou fracasso, desgraça ou felicidade. Nada é mais valioso para a raça humana que a mente, mas só uma pequena porcentagem de sua capacidade é usada.

Dependendo de como é usado, o pensamento é o mais benéfico ou o mais perigoso poder disponível ao homem.

Grandes nações são construídas ou destruídas pelo poder do pensamento. Todas as criações humanas são desenvolvidas primeiro no pensamento. É a mente que primeiro desenvolve os pensamentos e depois parte para a ação que produz bons ou maus resultados.

A vantagem que os humanos têm sobre as outras criaturas é que cada uma tem o direito de viver a vida como quiser.

O poder de escolha é de profunda importância, porque fazer as escolhas certas possibilita uma vida bem-sucedida e feliz. Fazer as escolhas erradas ou permitir que outros escolham por você provavelmente levará a uma vida de fracasso.

Os objetivos devem ser estabelecidos por você, da mesma forma que você pensa seus pensamentos. Ao escolher objetivos corretos e desenvolver planos e ações apropriados, você pode esperar que todos os seus desejos, sejam eles riqueza, sejam saúde, fama ou paz mental, se realizem, o que vai ajudá-lo a ter felicidade.

Se você não tem objetivos significativos, vai precisar estabelecer alguns, caso queira desenvolver seu potencial. Assim que tiver objetivos para orientar seu futuro, é urgente que tenha um sistema de crença que afirme que você vai alcançar seus objetivos.

Quando trabalhava no mercado financeiro, recebi uma proposta para ocupar o segundo posto na hierarquia de um novo banco. Após aceitar o emprego, acreditei que poderia me tornar o chefe executivo de um banco. Não só me comparava a outros na posição de CEO, como também acreditava que só precisava de experiência e oportunidade. Era importante que eu me visse como CEO de banco. Continuei me preparando para o trabalho. Apliquei meus talentos com uma atitude positiva e obtive resultados em minha posição que chamaram atenção. Pedi permissão para frequentar a Escola de Gestão Bancária na Universidade da Virgínia, e a resposta foi positiva. Adquiri uma educação valiosa, mas ainda não fiquei satisfeito depois da graduação.

Uma vez fui a um seminário da Reserva Federal (Banco Central Americano) em Richmond, Virgínia. Ao ler o material do banco, notei que os executivos de lá eram formados na Escola Stonier de Pós-Graduação Bancária da Universidade Rutgers. Mais uma vez vi uma oportunidade de ampliar minha educação e me preparar melhor para uma oportunidade futura.

Pedi permissão para frequentar a escola durante três cursos de verão e mais uma vez tive a chance de estudar com alguns dos melhores instrutores da área e trabalhar em projetos com outros banqueiros de muitas partes do mundo. Uns três anos depois de me formar na Stonier, recebi a proposta para ser CEO, como já expliquei. Não conto a história para me gabar, porque muitos outros realizaram muito mais do que eu. Conto para mostrar que objetivos são importantes, bem como planos, crença e um curso de ação projetado para levá-lo aonde você teve a visão de estar.

A essa altura, lembro que a realização em si não é a parte mais importante da experiência. Vou repetir a citação de Ben Sweetland porque resume bem e com clareza: "Sucesso é uma jornada, não um destino". O mais importante é o que nos tornamos enquanto estamos na jornada.

14

PENSAMENTO

Tudo que somos é o resultado do que pensamos.
— O BUDA (563–483 A.C.)

Todas as riquezas têm origem na mente.

A verdadeira riqueza consiste em ideias, não em dinheiro. Dinheiro é apenas o meio material trocado por ideias. A cédula em si – iene, euro ou outra – não vale nada; são as ideias por trás dela que lhe conferem valor.

O ponto é que você não deve sair para procurar riqueza. A riqueza está dentro de você. Use sua mente para *pensar* de maneira construtiva.

Pensar não significa perder tempo à toa. Você precisa pensar com um propósito em mente e um fim em vista: tentar resolver um problema. Em *The Master Mind*, Theron Q. Dumont diz que pensar nos é imposto quando estamos decidindo o caminho a seguir, talvez um trabalho para a vida. É o tipo de pensamento que nos era imposto na juventude, quando tínhamos que encontrar a solução para um problema de matemática ou quando tentávamos entender psicologia na faculdade.

Quando falo em pensar, não me refiro a ter opiniões baratas sobre um assunto específico. Falo em pensar sobre questões significativas que estão além dos limites do nosso estreito bem-estar pessoal. É o tipo de pensamento que agora é tão raro – e tão necessário!

Para tentar descobrir novos mundos ou novos métodos, você precisa fazer mais que apenas ponderar. Precisa pensar de um jeito construtivo. As maiores descobertas surgiram de coisas que todo mundo viu, mas só uma pessoa realmente *notou*. As maiores fortunas foram feitas a partir de oportunidades que muita gente teve, mas só uma pessoa aproveitou.

Você percebe que a realidade da pobreza existe porque o *medo* da pobreza é visualizado e assim ela ganha vida? A lição que muitos milhões de pessoas que estão na pobreza ainda não aprenderam é a lei da oferta.

A lei da oferta determina que você deve pensar em abundância, ver abundância, sentir abundância e acreditar em abundância. Nenhum pensamento sobre limitações deve entrar em sua mente. Não é possível desejar nada que, do ponto de vista da mente, não exista em um suprimento abundante. Se você consegue visualizar na sua mente, consegue realizar na sua vida.

As sementes da prosperidade e do sucesso precisam ser nutridas com desejo intenso. Mantenha em mente a imagem da coisa que você quer. Você precisa perceber que pensa em imagens. Acredite no seu olho mental, esqueça os medos e perceba que o futuro vai ser aquele que você criar para si. Não há nada capaz de detê-lo se você estabelecer o objetivo, esquecer as dificuldades e mantiver sempre o objetivo no seu campo visual mental. Não é mera ostentação dizer que nossa condição mental nos permite construir a vida que queremos. As únicas limitações são aquelas que impomos a nós mesmos.

Não pode haver limitações sem uma crença nas limitações.

Nada pode se colocar no caminho de uma vontade que quer – de uma inteligência que sabe. O grande negócio é começar. "Comece", diz Ausônio. "Começar é metade do trabalho... Comece de novo, e terá terminado."

Acredite sempre que as limitações não se aplicam a você e lembre-se de que grandes fortunas tiveram por base grande fé. Um homem teve fé no petróleo; outro, na terra; outro, em minérios. Você precisa aprender a expressar seus desejos mentalmente antes de poder reivindicá-los fisicamente.

Veja as coisas que quer como já sendo suas. Saiba que elas virão até você quando for necessário. Depois, deixe-as vir. Pense nelas como suas.

Lembre-se: quanto mais você tiver a oferecer à sociedade, mais riquezas terá. Nossa capacidade de receber o que desejamos está dentro de nós, e os únicos limites estão em nossa capacidade de receber. Por exemplo, suponha que você precise construir uma ponte sobre um riacho para arar um terreno. Há certos princípios envolvidos em qualquer problema que precise ser solucionado. Esses princípios estão disponíveis para resolver qualquer problema, mas você precisa aplicá-los. Você tem que entender esses princípios para usá-los, e é extremamente importante que os aplique à questão que está tentando solucionar.

Se você quer resolver um problema envolvendo riqueza, por exemplo, precisa entender o problema e aplicar os princípios necessários para uma solução. O poder da mente possibilita que você use suas capacidades e as ponha a trabalhar para você.

Primeiro você deve criar uma imagem mental do que quer realizar. Você controla seu destino, sua riqueza e sua felicidade na medida em que consegue pensar nelas, visualizá-las e vê-las com tal intensidade que aconteçam.

Toda realização pessoal começa na mente do indivíduo. Sua realização pessoal começa em sua mente. O primeiro passo é saber exatamente qual é o objetivo ou problema. Para ter uma imagem clara do objetivo ou problema, escreva e ajuste até ter certeza de que as palavras explicam claramente o que você deseja. Thomas Edison disse: "Sucesso se baseia em imaginação mais ambição e vontade de trabalhar".

A história de Arquimedes é um grande exemplo de como a mente pode trabalhar para cada um de nós. Arquimedes foi um famoso matemático e inventor da antiga Grécia. O rei pediu a ajuda de Arquimedes para determinar se uma nova coroa feita por um ourives era de ouro maciço. O rei queria saber se todo o ouro enviado ao ourives tinha sido usado ou se o artesão havia guardado uma parte. Então pediu a Arquimedes para determinar a pureza da coroa, mas sem danificá-la de maneira nenhuma.

Arquimedes pensou no problema de determinar a pureza da coroa por vários dias sem encontrar uma solução. Então, certo dia entrou em uma banheira cheia, e a água transbordou. Isso fez surgir a resposta em sua mente, e ele gritou: "Eureca!".

A resposta que Arquimedes encontrou consistia em pegar três recipientes com as mesmas dimensões e contendo igual medida de água. Ele colocaria a coroa no primeiro recipiente, a quantidade de ouro que o rei havia dado ao ourives no segundo recipiente, e um igual volume de prata no terceiro recipiente, depois calcularia a diferença na quantidade de água que transbordaria de cada recipiente.

Assim que teve a ideia, Arquimedes agiu e a pôs à prova. O experimento provou que o ourives era desonesto, como suspeitava o rei. O ourives havia usado prata na liga de metal e ficado com o ouro que subtraiu. A resposta que Arquimedes propôs é hoje um conhecido princípio: um corpo imerso em fluido desloca tanto peso quanto o peso de igual volume do mesmo fluido.

Poucas pessoas reconhecem as possibilidades criadas pelo poder de seus pensamentos. Muitas simplesmente aceitam sua posição na vida e nunca visualizam condição melhor do que aquela em que nasceram. Talvez você tenha ouvido este comentário: quando uma pessoa começa a realizar mais e melhores coisas, seus amigos e parentes dizem: "Está tentando superar suas origens".

Você não é limitado pelas condições em que nasceu. Pode usar seus pensamentos para refazer seu mundo. Pode fazer seus pensamentos se tornar realidade. Pode tornar seu mundo diferente mudando seus pensamentos.

As ideias são responsáveis por todo nosso progresso. A natureza humana é tal que o indivíduo nunca está satisfeito até ter o poder dentro de si para se tornar aquilo que deseja.

É importante que você controle seus pensamentos e "veja" apenas aquelas imagens que deseja. Você deve manter a mente nas coisas que quer e longe das que não quer. Você não vai melhorar se ficar focado nos fracassos do passado. Pascal afirmou: "Nossas realizações de hoje não são mais que a soma total de nossos pensamentos de ontem".

Para ser bem-sucedido, você precisa perceber que tem o poder para isso dentro si, depois saber o que quer, focar os pensamentos naquilo que tem o desejo ardente de conseguir e pôr seu programa em prática com exclusividade de propósito. O livro clássico de James Allen, *O homem é aquilo que ele pensa*, afirma da seguinte maneira: "O ato é a flor do pensamento, a alegria e o sofrimento são seus frutos, e assim vai recolhendo o homem o produto doce ou amargo de sua própria seara".

> *Nossos remédios sempre estão em nós mesmos,*
> *mas os atribuímos ao céu.*
> — SHAKESPEARE

A imagem mental é o que conta, seja ela boa, seja má. Como foi dito na paráfrase de Collier para Thackeray: "O mundo é um espelho e devolve a todo homem o reflexo de seus pensamentos". O mundo que apreciamos ou de que não gostamos é um reflexo do nosso mundo interior. Em nosso subconsciente, temos pensamentos de sucesso ou fracasso, pobreza ou riqueza, e a mente consciente encontra meios de dar vida a eles.

Nossos pensamentos podem se tornar realidade, e é importante lembrar que cada um de nós tem controle sobre os próprios pensamentos. Os pensamentos estão inteiramente sob o controle da mente. O poeta Walt Whitman expressou com muita clareza e simplicidade o poder do pensamento quando disse: "Nada externo a mim pode ter qualquer poder sobre mim".

Não podemos mudar nossa experiência passada, mas podemos determinar como serão as experiências futuras. Podemos fazer o próximo dia ser exatamente o que queremos que seja.

Podemos ser hoje o que pensamos hoje. Nossos pensamentos são causas, e as condições são os efeitos.

Em muitos casos, a razão pela qual as pessoas fracassam na vida é que pensam primeiro em fracasso. É óbvio que fracasso gera desculpas, e preocupações minam qualquer confiança que essas pessoas possam ter.

Não somos apenas resultado do destino; somos nosso próprio destino. Como diz o provérbio: "Como o homem imaginou no seu coração, assim é ele".

Somos simplesmente nossos pensamentos passados e a soma total das coisas que esses pensamentos atraíram para nós.

Pessoas bem-sucedidas têm pouco tempo para pensar em fracasso, enquanto as fracassadas permitem que todo o seu tempo seja ocupado por ideias de fracasso. Shakespeare nos deu muito em que pensar quando disse: "Não existe nada de bom ou mau, mas o pensamento o faz assim". Entender as palavras de Shakespeare vai lhe permitir controlar cada lei da natureza.

Cada um de nós faz seu próprio mundo – e o faz pela mente. É um fato que a mesma coisa não é vista do mesmo jeito por duas pessoas. Os pensamentos são as causas. As condições existentes são meramente efeitos. Cada um de nós molda a si e ao seu ambiente direcionando os pensamentos para os objetivos desejados.

Uma das principais diferenças entre humanos e animais é que a vida dos animais é controlada por temperatura, clima e estações. Só os humanos conseguiram se libertar das forças naturais, em grande medida por entenderem a relação entre causa e efeito.

A última fronteira terá sido ultrapassada quando as pessoas tiverem completa compreensão da mente.

As pessoas ainda não entendem que podemos dominar nossos pensamentos e sentimentos. Presume-se que seja inevitável cair vítima de qualquer pensamento que domine a mente. Pensamos sobre uma desgraça iminente, e ela assume o controle da nossa imaginação e literalmente nos destrói. Se temos uma farpa no dedo, tomamos as providências para removê-la; é igualmente fácil expelir da mente os pensamentos indesejados quando entendemos como fazê-lo. Quando uma pessoa é capaz de expelir o tormento mental de seus pensamentos, ela se liberta completamente.

Se você pretende ser um sucesso, não há nada mais importante do que visualizar o sucesso que deseja ter no futuro. Como indivíduos, pensamos em imagens, e é necessário "ver" com nossos olhos internos o que desejamos obter. Vou dar um exemplo da minha experiência, algo que aconteceu há mais de trinta anos. Você pode substituir pelo lugar onde se vê no futuro, dar os passos que eu dei e alcançar os resultados desejados.

Nos anos de 1970, minha esposa e eu morávamos na primeira casa que compramos. Havíamos feito um empréstimo de US$ 16 mil e construído uma casa de três dormitórios em estilo rancho. A casa ficava perto do meu trabalho e da universidade onde eu estudava à noite para me tornar contador e administrador.

Pouco depois de me formar na faculdade, recebi uma proposta de emprego em minha cidade natal, uma tremenda oportunidade em um novo banco. Ir trabalhar no novo banco significava que minha filha, minha esposa e eu teríamos que mudar de casa. Ao mesmo tempo, não queríamos vender a única casa que havíamos tido.

Quando voltamos para nossa cidade natal, não conseguimos encontrar uma casa adequada que coubesse no orçamento, porque ainda tínhamos a outra casa. Alugamos o imóvel para um casal; isso rendeu algum dinheiro, mas não o suficiente para comprar a casa que realmente queríamos. Então compramos um apartamento, que era fácil de financiar e estava prontamente disponível.

Sabendo que não pretendíamos morar em um apartamento por muito tempo, começamos a olhar plantas de casa. Um dia, na contracapa de uma revista de arquitetura, havia uma propaganda de uma empresa de tintas com a foto de uma casa. Na época, não sabíamos se aquilo era só um anúncio ou se a planta daquela casa estava disponível. Peguei o anúncio de página inteira e o preguei na porta do banheiro, onde permaneceu até se tornar realidade. Isso me faz lembrar que, uma vez estabelecido seu objetivo ou alguma coisa pela qual você tem paixão ou desejo ardente, mesmo que todos os passos que tenha que dar sejam desconhecidos, você vai começar a notar coisas e pessoas que o levarão a seu destino.

Entrei em contato com a empresa de tinta e descobri que a casa da foto era real e ficava na periferia de Richmond, Virgínia. O que aconteceu em seguida foi que fui convidado pelo CEO do banco para participar de um seminário da Reserva Federal em, veja só, Richmond.

Phyl, minha esposa, foi comigo à Reserva Federal, e depois do evento fomos ver a casa do anúncio. Conversamos com o construtor e tomamos as providências para comprar um conjunto das plantas.

A casa em questão era um sobrado de dois andares feito de cedro canadense com telhado de telhas de cedro. Havia duas varandas no corpo da construção, diferente das casas típicas de hoje em dia, que são construídas e recebem a varanda depois. A varanda no andar de cima tinha acesso pelo quarto principal. A casa tinha uma enorme chaminé, com lareiras na sala e no quarto principal.

Tínhamos decidido anteriormente que construiríamos a casa em um terreno arborizado próximo do meu trabalho. O único problema era que não havia nenhum terreno disponível – aparentemente.

Um dia eu estava esperando um diretor do banco – aquele que também era o maior acionista e que havia me entrevistado para a vaga de emprego. Contei a Jim o que queria, e ele me falou de um terreno perto da casa que ele havia acabado de construir para um executivo de sua companhia de carvão.

O obstáculo seguinte era encontrar um construtor em quem eu tivesse confiança. Procurei um conhecido construtor, mas ele me disse que estava aposentado. Eu conhecia a família dele havia muito tempo, e refresquei sua memória sobre favores que tinha feito a eles. Assim, ele aceitou sair da aposentadoria e construir sua última casa, para mim.

Outros obstáculos foram superados de maneira semelhante, como construir a enorme chaminé, a fundação e as lareiras com pedras nativas. Depois de trinta anos, minha esposa e eu não vemos motivo para morar em outro lugar. A casa, como tudo mais que vale a pena, começou com uma imagem mental na cabeça de alguém, e a imagem se desenvolveu até virar realidade.

Conto essa história não para me gabar por ter uma casa cara ou sofisticada, mas para ajudá-lo a perceber que "pensamentos são coisas". Tudo que você quer deve ser um pensamento antes de poder se tornar uma coisa. Se não tirar mais nada dessa história, lembre-se de que todos nós pensamos em imagens. Você pode dar os mesmos passos descritos nessa história e esperar resultados semelhantes.

> *A imaginação é literalmente a oficina onde são feitos todos os planos criados pelo homem. O impulso, o DESEJO, ganha forma e gera AÇÃO com a ajuda da faculdade imaginativa da mente. Dizem que o homem pode criar qualquer coisa que possa imaginar.*
>
> — NAPOLEON HILL

A mente se beneficia e faz uso das duas formas de imaginação. A maioria dos inventores utiliza a forma conhecida como *imaginação sintética*. O uso da imaginação sintética nos permite partir de planos, ideias, produtos e projetos, simplesmente rearranjá-los, alterá-los ou aumentá-los e assim criar novos produtos. A maioria das invenções de Thomas Edison se enquadra nessa categoria.

Imaginação criativa é o processo pelo qual a imaginação usa a inteligência infinita e recebe novas ideias. Imaginação criativa é usada pelas grandes mentes, sejam elas de empresários, sejam de músicos, sejam de escritores, para criar ideias.

Frank Maguire é um exemplo de alguém que conseguiu aplicar ideias para criar milhões de dólares em renda. Conhecido palestrante, motivador, professor, inovador e contador de histórias, Frank poderia ser mais bem descrito como um gênio do marketing do nosso tempo. Ainda jovem, foi vice-presidente e chefe de programação da ABC Radio Networks, consultor de comunicação dos presidentes John F. Kennedy e Lyndon B. Johnson e braço direito do coronel Harland Sanders, fundador da rede Kentucky Fried Chicken. Frank também foi um dos cinco membros originais da força-tarefa que criou a Special Olympics e o Project Headstart.

Frank deu excelentes conselhos aos leitores de *Three Feet from Gold* e, no lançamento incrivelmente bem-sucedido do livro, me contou a seguinte história que ilustra o uso da imaginação para a criação de uma ideia. Ele trabalhou com especialistas para desenvolver uma ideia e criar negócios que enriquecessem os proprietários e dessem excelentes empregos a centenas de milhares de pessoas.

Quando trabalhava como assistente do coronel Sanders, da KFC, Frank um dia recebeu um telefonema de Fred Smith, que o convidou para ir a Memphis discutir uma ideia. Frank explicou que a reunião aconteceu no Holiday Inn, e Fred pegou um guardanapo e desenhou um ponto no centro com linhas partindo dele, como os raios de uma roda.

Fred disse: "Frank, vou pegar pequenos pacotes pelos Estados Unidos, trazê-los para Memphis e remetê-los antes do amanhecer".

Frank respondeu: "Fred, essa é a ideia mais idiota que já ouvi".

Fred retrucou: "Não é mais idiota do que vender frango frito em uma caixa de papelão".

Esse comentário era uma referência aos anos que Frank Maguire havia passado cuidando do marketing da Kentucky Fried Chicken. Fred Smith era um homem de 30 anos que teve essa ideia quando estava na faculdade. Seu professor não se entusiasmara com o trabalho de conclusão de curso feito por ele sobre a ideia, mas Fred Smith convenceu Frank Maguire, e ele foi um dos membros originais da Federal Express Corporation.

Tenha cuidado com quem você escolhe para contar as ideias que tem ao exercitar sua imaginação. É provável que escute de amigos bem-intencionados comentários como "você está louco", "vai perder até a roupa do corpo" ou "ninguém jamais fez isso com sucesso antes".

Compartilhe suas ideias com outras pessoas de visão que possam ajudá-lo em sua jornada para o sucesso.

15

SUA EQUAÇÃO PESSOAL DE SUCESSO

A diferença entre uma pessoa de sucesso e as outras não é falta de força nem falta de conhecimento, mas falta de vontade.
— VINCE LOMBARDI (1913–1970)

Aprendi que os chamados palpites ou ideias são semelhantes a intenções. Ideias e intenções não têm nenhum valor a menos que sejam postas em prática e em movimento. Vou dar um exemplo recente.

Como apontei antes, passei 38 anos no ramo de finanças e bancos, 36 deles na administração, inclusive quase duas décadas como CEO. O banco estava na lista dos que seriam fechados porque tinha perdido todo o capital e estava insolvente até eu ser contratado. Artigos de jornal e revista foram escritos sobre seu desempenho; uma revista chamou o banco de "diamante bruto". Essa história já foi contada em outro momento, mas é natural que o ramo bancário ainda esteja em mim.

Há mais de três anos, quando começava a escrever este livro, vi que o mercado imobiliário estava começando a se enrascar. Peguei o telefone e liguei para James Oleson, um corretor de ações da A. G. Edwards (hoje parte do Wells Fargo), e disse a ele para vender todas as ações que eu tinha. Jim perguntou: "O que está acontecendo? Não sabe que, com os rendimentos que tem, vai ter que pagar muito imposto?". Respondi: "Jim, eu sei, mas as ações renderam muito, e a alíquota sobre ganho com capital é só 15%, o que vou pagar com prazer, porque acho que toda a economia vai ter problemas com o mercado hipotecário enfrentando problemas".

Quando vi a economia indo ladeira abaixo, tive a ideia de escrever um livro sobre persistência. Ao lembrar-me de um dos livros pessoais de W. Clement Stone em minha biblioteca – *Cycles*, de Edward Dewey –, meu pensamento tomou forma. Esse livro, que Stone tinha lido, estudado e marcado com várias anotações, me dizia que a economia nem sempre se move em uma direção. Com o futuro financeiro ameaçado, era hora de ser persistente e não se deixar derrotar. Tive a ideia de ensinar a oportuna necessidade da persistência.

Em *Think and Grow Rich*, Hill contou a história de R. U. Darby, um garimpeiro que desistiu a um metro de encontrar um rico veio de ouro. Eu queria entrevistar pessoas e perguntar por que não desistiram quando encontraram obstáculos. Eu sabia que aquele era um trabalho formidável; como diretor executivo da Fundação Napoleon Hill, consegui a ajuda dos autores Greg S. Reid e Sharon L. Lechter, e o resultado foi *Three Feet from Gold*, publicado pela Sterling Publishing (que pertence à Barnes & Noble).

O livro tornou-se um *best-seller* na Amazon, Barnes & Noble Online e no *Wall Street Journal* três semanas depois do início das vendas. A obra, que está sendo licenciada no mundo todo, começou com uma ideia simples que foi posta em prática.

Quando você, leitor, tiver uma ideia, lembre-se de que não tem que ter todas as respostas. Se tiver um propósito tão forte que é um desejo ardente de realizar seu objetivo, então só precisa começar. Aqui vai uma lista que você pode usar como guia, lembrando o tempo todo que ideias não têm valor até serem postas em prática:

- Escreva o objetivo que quer alcançar.
- Localize quem tem o conhecimento de que você precisa.
- Controle seus pensamentos e mantenha uma atitude mental positiva (AMP).
- Determine um prazo para a realização do objetivo.
- Defina sua equação pessoal de sucesso.

(P + T) x A x A + F = sua equação de sucesso

Você precisa juntar paixão (P), alguma coisa pela qual tenha tanta empolgação que possa comer, dormir e acordar com ela, e talento (T), alguma coisa em que você seja bom. Em seguida, multiplique essa soma por A, as associações certas, que são aquelas que têm sucesso na vida. Você quer a ajuda de especialistas, não as opiniões de amigos e parentes, que só atrapalhariam e prejudicariam suas tentativas. Ação significa simplesmente os passos na direção certa. Com todos esses ingredientes, daria para dizer: *só faça*. Adicione sua fé (F), que é simplesmente a crença em si mesmo. Sem fé, você vai ser como a maioria das outras pessoas e simplesmente desistir quando encontrar obstáculos. Agora sua equação do sucesso está completa.

16

PERSEVERANÇA E PAIXÃO

Podemos afirmar com certeza que nada grandioso no mundo foi realizado sem paixão.

— HEGEL

A razão pela qual definição de objetivo é o ponto de partida para toda realização é que, quando você tem um motivo forte o bastante para atingir sua meta, vai perseverar e não vai desistir quando as coisas ficarem difíceis. Com certeza você já ouviu a velha expressão "separar os meninos dos homens". Ficar firme no objetivo durante todo o caminho até um desfecho de sucesso significa ter determinação até o fim.

Durante a Guerra Civil, perguntaram ao presidente Abraham Lincoln: "O que acha de Grant como líder?". Ele respondeu: "O que ele tem de melhor é a fria persistência de propósito. Não se empolga com facilidade e tem a pegada de um buldogue. Quando ele crava os dentes em alguma coisa, nada o faz soltar". Eu diria que isso é perseverança – cravar os dentes no objetivo que está perseguindo e segurar até o objeto de seu desejo estar em seu poder.

O filho da persistência de propósito é o sucesso que buscamos. Quando uma pessoa tem certeza de estar no caminho certo, perseverança é um tremendo benefício. O presidente Calvin Coolidge falou o seguinte sobre persistência: "Insista. Nada no mundo pode substituir a persistência. O talento não a substitui; nada é mais comum que talentosos fracassados... Educação sozinha também não; o mundo está cheio de desamparados bem-educados. Persistência e determinação sozinhas são onipotentes".

Não deseje nada na vida a menos que esteja disposto a pagar o preço.

Você pode ler livros de desenvolvimento pessoal aos montes, participar de seminários, ouvir mensagens de áudio e obter informação útil de todas essas fontes. Mas, se quer se tornar uma pessoa bem-sucedida, nada é melhor que seguir seu sonho, ou, como prefiro dizer, perseguir seu desejo com paixão. Napoleon Hill aprendeu e escreveu que o primeiro passo na realização pessoal era ter um "desejo ardente". Esse primeiro passo sempre foi o mesmo, e não mudou.

É provável que você sofra derrota ou desista cedo demais se não tiver o desejo ardente ou a paixão para perseguir seu sonho. Tenha certeza de que o que está fazendo é exatamente o que deseja e que não está atrás de dinheiro ou do que outra pessoa deseja. Se você for atrás de alguma coisa pela qual tem paixão, o dinheiro será secundário em sua vida. Como John A. Shedd afirmou há mais de cem anos: "Um navio no porto está seguro – mas não é para isso que navios são construídos".

Da mesma maneira, o poeta russo Boris Pasternak disse: "Não são revoluções e revoltas que abrem caminho para dias novos e melhores, mas... a alma de alguém, inspirada e incandescente". É sabedoria ancestral o "conhece a ti mesmo", olhar dentro da própria alma para encontrar respostas.

> *O que o homem superior procura está nele mesmo; o que o homem pequeno procura está nos outros.*
>
> — CONFÚCIO

Concentre suas energias para ter sucesso em uma coisa de cada vez. Se você faz muita coisa ao mesmo tempo, pode se descobrir incapaz de seu melhor desempenho. Seja um especialista, aprenda a fazer uma coisa um pouco melhor que outras, e terá sua recompensa.

Nunca deixe para amanhã o que precisa e pode fazer hoje. O sucesso é medido pela capacidade de seguir em frente um pouco por dia. Aprenda a dividir cada dia em proporções adequadas: durma o suficiente, trabalhe o suficiente, descanse o suficiente, seja feliz o suficiente e terá um dia harmonioso.

Vamos dar uma olhada no conceito da paixão.

PAIXÃO

Paixão é uma emoção poderosa que expressa fortes crenças ou entusiasmo. Walter Chrysler, fundador da Chrysler Corporation, pegou o dinheiro que tinha economizado e comprou um carro novo. Em vez de dirigir o carro, ele o

> desmontou, para aperfeiçoá-lo. Isso é paixão, e não é à toa que Chrysler pôde citar Ralph Waldo Emerson dizendo: "Nada grandioso jamais foi realizado sem entusiasmo".
>
> Quando você descobrir sua paixão, vai amar fazer o que precisa ser feito para realizá-la, enquanto muitos outros sem paixão não serão bem-sucedidos porque não aplicam seus talentos ou desistem. Sem paixão, você não terá a direção e o foco necessários para alcançar o sucesso.
>
> Robert T. Johnson Jr. desenvolveu a paixão pela leitura ainda muito novo. No primeiro ano, Bob leu 52 livros, mais que o dobro lido por qualquer outro aluno. O prêmio de Bob foi uma cópia do famoso livro infantil *The Little Engine That Could.*
>
> Mais tarde Bob estudou na Universidade de Michigan, onde teve a média geral mais alta da turma de calouros. Ele foi um advogado de direitos autorais muito bem-sucedido de uma empresa prestígio em Chicago durante 32 anos. Paixão é importante se você quer sucesso.
>
> Encontre sua paixão e nunca mais você vai "trabalhar".

"Não tem que ser desanimador abrir o próprio caminho e pagar as próprias contas... Sei disso, porque foi o que fiz quando os salários dos professores eram muito mais baixos que agora. É uma grande verdade que 'onde tem vontade, tem um jeito'." A citação foi escrita por James A. Garfield quando era professor de línguas antigas na Faculdade de Hiram, em Ohio, aos 26 anos. A carta foi endereçada a seu jovem amigo Burke Hinsdale, de 19 anos. Vinte e quatro anos depois de ter escrito essa carta de conselhos, Garfield havia se tornado o 24º presidente dos Estados Unidos, e Burke Hinsdale era presidente da Faculdade de Hiram.

Recentemente almocei com um empresário muito culto, e ele mencionou seu filho, que disse ser quase um gênio com memória fotográfica, mas que, apesar da inteligência, não avança na estrada para o sucesso. Lembrei ao meu amigo que eu com certeza tinha lido mais de mil livros e que, embora minhas descobertas me levassem a crer que inteligência era algo bom de se ter, não era garantia de sucesso. Apesar da inteligência, se a pessoa não tem objetivo, vontade, um desejo ardente, paixão ou outro termo que você queira usar, ela não vai planejar, fazer as escolhas certas e agir para realizar feitos dignos de valor.

Toda atividade e preparação são de pouca utilidade sem um propósito.

Uma pessoa que não tem propósito é comparável a um navio sem leme, com mapa ou bússola jogado pelo mar. Pode-se dizer que muita gente está tentando atravessar o oceano da vida sem um destino definido. Pessoas sem um propósito estão mais propensas a um naufrágio do que a encontrar um porto seguro.

Singularidade de propósito significa tomar a decisão de seguir um curso, profissão ou trabalho específico na vida. O propósito se torna um objeto que você consegue manter em vista e em relação ao qual continua se esforçando não só quando tudo é fácil, mas também quando o caminho é difícil. Era a isso que o apóstolo Paulo se referia quando disse: "Uma coisa faço". O propósito se tornou o trabalho da vida de Paulo, significando que toda a sua energia era dirigida para aquela realização, e, quando falou "prossigo para o alvo a fim de ganhar o prêmio", ele quis dizer simplesmente que aquele era seu propósito de vida e que ele tinha uma vontade e determinação que não aceitariam derrota.

Talvez o sábio homem tenha dito melhor ao dar o conselho: "Olhe sempre para a frente, mantenha o olhar fixo no que está adiante de você. Veja bem por onde anda, e os seus passos serão seguros. Não se desvie nem para a direita nem para a esquerda; afaste os seus pés da maldade". Não existe conselho melhor quanto à importância da singularidade de propósito.

Se você cria uma ação, cria um hábito. Se você cria um hábito, cria um caráter. Se você cria um caráter, cria um destino.
— ANDRÉ MAUROIS

Você tem o poder de escolha. A primeira-dama Eleanor Roosevelt disse: "No fim, damos forma à nossa vida e damos forma a nós mesmos. O processo não termina até morrermos. E as escolhas que fazemos são, em última análise, de nossa responsabilidade". Existe um livrinho maravilhoso sobre nosso direito de escolher o futuro, *Your Greatest Power* (A ser lançado pela Citadel Editora com o título *O poder secreto*), de J. Martin Kohe, que pode ser lido em cerca de trinta minutos.

Você tem um bem maravilhoso, e usá-lo corretamente contribui para a confiança e a paz de espírito. O uso desse poderoso bem vai permitir que você se mova na direção de seu principal objetivo ou propósito na vida. A aplicação correta desse bem transforma fracasso em sucesso.

Se você experimentou alguns fracassos, pode parecer que fracasso é a sua sina, por mais que você tente. Depois de uma sequência deles, você pode facilmente passar a acreditar que a vida é difícil, que você não teve sorte quando recebeu as cartas e que o baralho não lhe favorece, então, para que continuar tentando, se não é possível vencer? Você pode até se convencer de que, o que quer que faça, os resultados não serão os que você deseja.

Se você caiu nessa armadilha, precisa descobrir o grande poder que vai mudar sua vida. Para mudar a direção de sua vida, você precisa reconhecer seu maior poder e usá-lo para mudar suas circunstâncias para melhor.

Quando eu era presidente de banco, uma das maiores empregadoras da região era uma companhia local de carvão. Quando a empresa fechou sua mina, demitiu várias centenas de pessoas. Elas estavam acostumadas com ótimos salários – mais de US$ 40 mil ao ano, em média, além de benefícios muito abrangentes. Muitos desses mineiros eram clientes do banco, e ouvi vários deles contarem o que havia acontecido. Alguns reclamavam da empresa, muitos entraram com pedido de indenização por invalidez. Alguns sem dúvida tinham lesões, porque o trabalho em uma mina de carvão subterrânea é insalubre. Tenho experiência pessoal, pois meu pai era mineiro de carvão e sofreu ferimentos graves mais de uma vez.

O direito de escolha, o maior poder do indivíduo, nunca foi mais aparente do que na reação dessas pessoas ao desemprego. Alguns mineiros usaram a ocasião para fazer uma pausa e refletir sobre a vida. Muitos foram estudar nas faculdades locais, outros conseguiram empregos que em certos casos eram melhores que aquele que haviam perdido.

Muitas vezes uma pessoa que perdeu o emprego ou teve de enfrentar outras dificuldades adota a atitude de que a vida é difícil, a vida é injusta, o empregador é desonesto, a sorte não a favoreceu...

então, de que adianta? Você não pode vencer. Esse tipo de pessoa faz pouco ou nenhum esforço e está firmemente convencido de que nenhum esforço vale a pena, porque, o que quer que ela faça, não vai ter sucesso.

Uma vez perdido o desejo de vencer na vida, a pessoa simplesmente aceita seu destino e provavelmente usa a energia que tem para culpar os outros. Essas pessoas fazem afirmações como "gente rica não presta", "eles herdaram a riqueza que têm", "o governo cobra impostos demais", "os preços estão muito altos" ou qualquer outra desculpa, apontando o dedo em todas as direções, mas deixando de olhar para o espelho.

Sempre que as pessoas vivem o fracasso, simplesmente deixam de descobrir o grande poder que certamente mudará sua vida. Elas não o reconhecem. Nem sabem que ele existe. Conseguem ver outras pessoas enfrentando dificuldades como elas, e o que pensam sobre sua condição é que a vida é assim mesmo.

Raimundo de Ovies conta uma história sobre o tempo em que a grande biblioteca de Alexandria, no Egito, pegou fogo, e só um livro foi salvo. Um homem pobre comprou o livro por alguns cobres. O livro não era muito interessante, mas tinha uma tira de velino onde estava escrito o segredo da "pedra de toque". A pedra de toque era uma pedrinha que podia transformar metal comum em ouro puro. A mensagem dizia que a pedra de toque podia ser encontrada nas praias do Mar Negro, entre todos os outros seixos que se pareciam com ela. Mas o segredo era que a verdadeira pedra de toque era quente ao toque, enquanto as outras pedras comuns eram frias.

O homem pobre que havia comprado o livro com a mensagem vendeu os poucos bens que tinha e foi para o litoral. Ele tinha um plano de se tornar rico encontrando o seixo que era quente ao toque. O homem sabia que não podia simplesmente pegar um seixo frio e jogar fora; se o fizesse, poderia pegar a mesma pedra centenas de vezes. Seu plano era que, quando pegasse uma pedra e a sentisse fria, simplesmente a jogaria no mar. O plano permitia que ele pegasse cada pedra só uma vez.

O homem passou um dia inteiro pegando seixos, mas nenhum deles era a pedra de toque. Depois passou uma semana, um mês, um ano, três anos, mas não encontrou a pedra de toque. Porém, estava determinado e continuou pegando seixos, descobrindo que eram frios e jogando no mar. Ele mantinha a rotina dia após dia.

Finalmente, em uma bela manhã, pegou um seixo, e ele era quente. Porém, ele o jogou no mar. Falando de maneira simples, ele havia criado um hábito tão forte de jogar as pedras no mar que, quando encontrou a pedra quente que queria... ele a jogou longe.

A história da pedra de toque é como nós. Quantas vezes tivemos esse grande poder, o poder de escolher, e não o reconhecemos? Sem dúvida tivemos esse grande poder nas mãos e o jogamos fora por termos deixado de reconhecê-lo.

O poder de escolha é o maior poder que uma pessoa pode ter.

Napoleon Hill publicou seu maior *best-seller*, *Think and Grow Rich*, em 1937. Esse livro deve ter influenciado mais pessoas do que qualquer outro livro de desenvolvimento pessoal já escrito. Com certeza me influenciou.

O título em si teve tremendo efcito no sucesso do livro. Hill escolheu *Think and Grow Rich* como título depois de ter terminado o manuscrito e enviado para o editor. Nenhum outro título poderia ter tido os mesmos resultados positivos. O título parece saltar aos olhos, e como alguém que está em busca do sucesso não seria atraído por ele? Penso que a resposta para a atração que esse título exerce sobre um comprador potencial de livros de desenvolvimento pessoal, de motivação ou sobre o desejo de ficar rico é óbvia.

O livro foi um sucesso tão grande que, embora tenha sido lançado no auge da Grande Depressão e fosse vendido pelo salgado preço de capa de US$ 2,50, sem o tipo de divulgação que existe hoje, esgotou-se em poucas semanas. Foi reimpresso com uma tiragem maior e se esgotou rapidamente de novo. *Think and Grow Rich* teve três tiragens em 1937 e continua sendo impresso continuamente desde então. Muitos chamados *best-sellers* ficam disponíveis nas livrarias por um período de dois anos ou menos, e, se você quer um livro específico lançado vários anos atrás, tem que pesquisar para encontrar uma cópia.

A escolha de Napoleon Hill tem tido enormes resultados positivos, e seu benefício é sentido ainda hoje, não só nos Estados Unidos, mas no mundo todo também. *Think and Grow Rich* é um dos títulos mais copiados de todos os tempos. Muitos autores seguem publicando livros, alguns valiosos, outros sem nenhuma qualidade, com variações do título que podem ser a mudança de uma palavra, na tentativa de usar a popularidade de *Think and Grow Rich* para promover suas obras. Mais uma vez, o poder de escolha, como exercitado por Hill na escolha de seu título, se comprova pela popularidade constante do livro em todo o mundo passados 75 anos.

Como diretor executivo da fundação cujo nome é uma homenagem a Hill, passei recentemente várias semanas no Japão, China, Cingapura, Hong Kong e Malásia e visitei livrarias em cada um desses países. Observei em primeira mão a popularidade dos livros de Napoleon Hill, muitos deles publicados de forma legal, outros pirateados, sem pagamento de *royalties*. A popularidade dos livros em outros países é mais uma evidência do efeito de Napoleon Hill ter usado seu maior poder... o poder de escolha.

Quantas vezes cada pessoa esteve diante desse grande poder e não o reconheceu?

Os efeitos de fazer a escolha de desistir me lembram as palavras de William Moulton Marston: "Nas planícies da hesitação, secam os ossos de incontáveis milhões que, na soleira da vitória, sentaram-se para esperar e, esperando, morreram".

17

LEGADO

Vidas de grandes homens nos lembram
Que podemos tornar nossa vida sublime
E partir, deixando para trás
Pegadas nas areias do tempo;
Pegadas que talvez outro,
Navegando pelo caminho solene da vida,
Um irmão desamparado e naufragado,
Ao ver, recupere a coragem.
Vamos, então, levantar e seguir fazendo,
Com coragem para qualquer destino;
Ainda realizando, ainda buscando,
Aprender a trabalhar e esperar.

— HENRY WADSWORTH LONGFELLOW

O lema da Fundação Napoleon Hill é "Fazer do mundo um lugar melhor para viver". Se você acredita que a vida tem propósito ou significado, pode deixar um legado que ajude a tornar o mundo um lugar melhor.

As decisões que você toma – ou não toma – ajudam a determinar o tipo de legado que vai deixar. Ser parte das soluções para os gritos de socorro ou parte dos problemas que assolam a raça humana é resultado de suas atitudes diárias. Se você procurar a palavra "legado" no *Webster's New World Dictionary*, um dos significados é: "Qualquer coisa que venha de um ancestral, predecessor etc.".

Nenhuma pessoa jamais foi honrada pelo que recebeu.
Honra é a recompensa por aquilo que damos.
— CALVIN COOLIDGE

Milhões de pessoas leram *O homem mais rico da Babilônia*, de George S. Clason, desde o lançamento, em 1926. A fábula é interessante, e muita gente, como eu, entendeu a mensagem e aplicou as sugestões para ter acesso a uma vida de segurança financeira. Também referido como "Parábolas da Babilônia", *O homem mais rico da Babilônia* é um inspirador grupo de histórias que ensinam sobre parcimônia, finanças, como ganhar dinheiro, economizar parte do que se ganha e usar essas economias para ganhar ainda mais.

A base de *O homem mais rico da Babilônia* é que uma parte de tudo que você ganha deve ser guardada. É aí que muita gente falha em relação a acumular riqueza. Pessoas que fracassam não só deixam de ficar com parte do que ganham, como contraem dívidas para uso pessoal, dificultando ainda mais o acúmulo de riqueza. Embora a história apresente conselhos maravilhosos, é só uma parábola, isto é, uma história simples que ensina uma lição.

A narrativa de *O homem mais rico da Babilônia* se compara à história de Andrew Carnegie, com a diferença de que esta última é real. Sua biografia é parte da história norte-americana e muito mais fascinante que a parábola do "homem mais rico".

Andrew Carnegie nasceu na Escócia em 1835, e sua família se mudou para os Estados Unidos e se instalou na Pensilvânia. Carnegie começou a trabalhar em uma fábrica de algodão aos 13 anos. O rapazinho foi muito favorecido porque havia um cidadão local que deixava meninos trabalhadores como Carnegie usarem sua biblioteca. A maior parte da educação de Carnegie resultou de seu amor pelos livros e deu a ele os meios para assegurar posições de maior responsabilidade até se tornar superintendente da Pennsylvania Railroad.

Em 1865, Andrew Carnegie fundou a primeira de suas muitas companhias, construindo pontes, locomotivas e trilhos. Quando vendeu a Carnegie Steel Company para J. P. Morgan, em 1901, a empresa estava avaliada em US$ 400 milhões e foi a base de uma organização que se tornou a U.S. Steel Corporation.

Em 1870, Carnegie deu início às suas muitas doações filantrópicas. Ele é mais conhecido pela construção de bibliotecas públicas gratuitas. No todo, Carnegie fez doações para mais de 2,5 mil comunidades. Sem dúvida, o amor pelos livros e as lembranças do grande benefício derivado da leitura levaram Carnegie a dar grande ênfase às bibliotecas em suas doações filantrópicas.

Em 1889 Carnegie escreveu *O evangelho da riqueza*, no qual afirmou a visão de que os ricos são apenas "depositários" de sua riqueza e têm a obrigação moral de distribuir essa riqueza para promover o bem-estar e a felicidade das pessoas comuns. Carnegie foi um escritor prolífico, mas a citação pela qual é mais famoso é: "O homem que morre rico morre desgraçado".

Quando Carnegie se aposentou, em 1901, seu objetivo era distribuir sua fortuna. Não só fez doações para estabelecer mais de

2,5 mil bibliotecas, como também forneceu órgãos para centenas de igrejas. Foi benfeitor de inúmeras faculdades, escolas e organizações sem fins lucrativos em sua Escócia nativa, nos Estados Unidos e em outras partes do mundo. Carnegie não só fez tudo isso, como também criou vários fundos e instituições que têm seu nome. Quando morreu, em 1919, havia doado cerca de US$ 350 milhões ao longo da vida, e seu legado permanece hoje como resultado das doações para fundos e instituições.

A maioria das pessoas não deixará um legado que possa ser comparado ao de Andrew Carnegie em termos de contribuições monetárias para o benefício da humanidade. Mas quase todo mundo pode deixar um legado de uma forma ou de outra, e não precisa ser de natureza monetária.

A maior recompensa para o trabalho do homem não é o que ele ganha com isso, mas o que ele se torna com isso.
— JOHN RUSKIN

Enquanto atuava no setor bancário, tomei conhecimento de muitas histórias sobre deixar um legado. Não consigo pensar em maneira melhor de deixar um legado que realmente ajude a fazer do mundo um lugar melhor para viver do que colaborar para a educação da nossa juventude nesta e nas próximas gerações.

Quando eu era banqueiro, dois dos meus clientes eram um tio e uma tia. Tio Clint era irmão de minha mãe, e eles eram dezesseis irmãos. Como só estudou até o terceiro ano e minha avó morreu com quarenta e poucos anos, tio Clint não parecia predestinado ao sucesso, nem dava a impressão de que deixaria um legado para futuras gerações.

Tio Clint trabalhou em uma mina de carvão durante a maior parte da vida. Embora hoje os salários sejam altos, quando começou ele ganhava US$ 3 por dia, e recebia cerca de US$ 20 por dia quando se aposentou. Ele morava em uma cidade pequena e construiu alguns quartos atrás de sua casa, para alugar para trabalhadores da construção civil e vendedores. Isso rendia um dinheiro extra. Clint e sua esposa, Lucille, não podiam ter filhos; vivendo com muita frugalidade, economizavam tudo que recebiam, menos o necessário para a sobrevivência.

Clint e Lucille foram ao meu escritório uma vez por mês durante anos e anos, sempre em busca de orientação. Não investiam em nada além de certificados de depósito. Lucille morreu uns dois anos antes de Clint. Antes disso, ajudei meus tios a fazer seus testamentos com um advogado local, William J. Sturgill, benfeitor de longa data da Universidade da Virgínia e meu amigo. Sturgill preparou os testamentos sem cobrar nada.

Clint e Lucille haviam acumulado US$ 1,2 milhão, basicamente em dinheiro e sem nenhuma dívida. Passei muitas horas do almoço com Clint e Lucille, ajudando-os a planejar o que fazer com sua riqueza. O dinheiro foi designado para causas variadas, US$ 100 mil para um centro local de tratamento de câncer, a mesma quantia para o Hospital Infantil St. Jude's e para o fundo infantil Shriners Crippled. A maior doação foi de US$ 500 mil, para a Universidade da Virgínia, dinheiro que deveria ser convertido em bolsas de estudo.

Quando Clint morreu, aos 91 anos de idade, meus primos Haskell Lambert, W. C. Lambert e eu nos tornamos executores dos bens. Depois de pagar as parcelas do testamento destinadas a itens como manutenção do cemitério e de um parque infantil local, o valor destinado à universidade na verdade ultrapassou US$ 700 mil.

Hoje cerca de quarenta jovens recebem bolsas de estudo, e o saldo atual da doação ultrapassa US$ 800 mil. Futuras gerações terão condições melhores como resultado das doações dos Lambert. Apesar de terem tido pouca educação formal e nunca terem pisado no campus da faculdade, seu legado foi garantido pela generosidade.

Andrew Carnegie, fundador da U.S. Steel e uma das pessoas mais ricas do mundo, disse: "Riqueza excedente é uma responsabilidade sagrada que o dono tem o dever de administrar durante a vida, pelo bem da comunidade". Em certa primavera, o jovem Andrew Carnegie teve coelhos que se multiplicaram muito rapidamente, e alimentá-los logo se tornou um problema. O pequeno Andrew prometeu aos colegas que daria a cada coelho o nome de cada menino que o ajudasse a colher cravos e dentes-de-leão para alimentar os animais. Sua primeira experiência como contratante de mão de obra foi um imenso sucesso.

Andrew Carnegie não estava interessado nos detalhes técnicos de seu negócio e sabia muito pouco sobre os processos mecânicos. Mas entendia necessidades, comportamentos e aspirações humanas e tinha um sistema de incentivos que atraía indivíduos para trabalhar para ele.

Em 1908 o jovem Napoleon Hill foi enviado para entrevistar Andrew Carnegie. Dá para imaginar a cena? Hill foi à mansão de 45 aposentos de Carnegie, com vista para o Central Park de Nova York. Hill havia nascido em uma cabana de madeira nas florestas do sudoeste da Virgínia.

O próprio Carnegie começou muito de baixo, mas já havia chegado ao auge do sucesso financeiro quando Hill, representando a *Bob Taylor's Magazine*, o entrevistou. Carnegie ressaltou a definição de objetivo e a autoconfiança como regra cardinal para a realização pessoal. Carnegie apresentou Hill a pessoas conhecidas, bem-sucedidas, e, ao longo dos vinte anos seguintes, Hill entrevistou mais de quinhentas dessas pessoas, inclusive Thomas Edison, John D. Rockefeller, Henry Ford, George Eastman e outros gigantes da indústria.

> *Nunca duvide de que um pequeno grupo de cidadãos comprometidos e preocupados possa mudar o mundo. De fato, é só isso que o tem mudado.*
>
> — MARGARET MEAD

A afirmação da mundialmente famosa antropóloga Margaret Mead é muito verdadeira, e o mesmo se pode dizer de cada um de nós. Nossos feitos e atos de bondade podem se estender além do nosso tempo de vida de maneira positiva, e é isso que significa deixar um legado.

C. Bascom Slemp, cujos interesse e influência foram responsáveis pela criação do Museu da Virgínia Ocidental, é uma dessas pessoas. O museu é uma delícia de visitar. É bem mantido por Sharon Ewing, uma boa amiga, em nome do Departamento de Parques Estaduais.

O museu fica em Big Stone Gap, e foi residência do general Rufus A. Ayers, antigo procurador-geral da Virgínia e líder do desenvolvimento do condado de Wise. Depois de entrar na Guerra Civil, aos 15 anos de idade, Ayers se tornou um advogado muito bem-sucedido, banqueiro e gigante imobiliário com interesses em minas de carvão, madeireiras e política.

Slemp nasceu no condado de Lee, em 4 de setembro de 1870, e morreu em 7 de agosto de 1943. Se não tivesse feito nada além de fundar o museu, seu legado estaria garantido. Porém, foi membro do Congresso dos Estados Unidos de 1907 a 1922; de 1923 a 1925, foi secretário do presidente Calvin Coolidge. Embora hoje o museu seja famoso pela coleção de artefatos históricos e pela grande mansão de pedra que abriga a história do estilo de vida dos pioneiros, é a Fundação Slemp que melhor demonstra a generosidade de Bascom Slemp e seu legado.

Há alguns anos, fui convidado para ir ao museu, que homenageou alguns dos cidadãos mais famosos da região. Compareci como representante de Napoleon Hill, autor local conhecido em todo o mundo. Entre os outros homenageados na Calçada da Fama, estavam o ex-governador Linwood Holton, os autores Adriana Trigiani e Lee Smith, o ator George C. Scott e Andrew T. Still, fundador da Escola Americana de Osteopatia. Cada um deles criou um poderoso legado, e alguns ainda o estão construindo hoje.

Quando morreu, Slemp deixou cerca de US$ 350 mil investidos em um banco, e o testamento determinava que o valor fosse usado em benefício dos moradores dos condados de Lee e Wise. Os curadores da Fundação Slemp, como Nancey Smith, presidente da entidade, foram excelentes guardiões do espólio. Mais de US$ 20 milhões foram doados aos condados de Lee e Wise, e isso aumentou muito a possibilidade de centenas de jovens frequentarem a faculdade, além de contribuir para a construção de prédios para o ensino médio e superior.

Você não tem que deixar um espólio de milhões ou que renda até chegar a milhões por meio de bons investimentos. Muitos atos não monetários criam um legado. O legado que construímos é criado pelas decisões que tomamos todos os dias.

Joe Smiddy, chanceler emérito da Universidade da Virgínia-Wise, é uma dessas pessoas. Ele criou um legado sem usar milhões de dólares. "Papa Joe", como é carinhosamente conhecido pelos amigos, ajudou milhares de jovens a obter educação de nível superior. Muitos jovens ajudados por ele foram a primeira geração da família a ir para a faculdade. Muitos desses estudantes – como eu – tinham pais que não haviam feito nem o ensino médio. Quando um ou os dois pais de um estudante fizeram curso superior, é muito provável que o filho também faça. Em uma área remota, a oportunidade de ir para a faculdade não aparece com facilidade.

Papa Joe cresceu em uma fazenda e conseguiu cursar a faculdade por causa da bondade de um diretor de escola, que sugeriu a Universidade Lincoln Memorial em Harrogate, Tennessee. Sem dinheiro, Papa Joe, com duas mudas de roupa de trabalho, conseguiu uma carona, chegou à faculdade e trabalhou na fazenda da instituição por US$ 0,25 a hora para se manter. Quando se tornou chanceler da faculdade e viu muitos alunos em dificuldades financeiras, talvez tenha se lembrado do cuidado e da atenção que recebeu. Isso foi em meados dos anos de 1950, e os alunos não tinham os recursos que têm hoje.

Papa Joe pedia contribuições de empresários e amigos e recorria até aos fundos coletados pelos parquímetros para ajudar um estudante necessitado. Dá para ver facilmente por que os estudantes que alcançaram o sucesso, seja como professores, seja como médicos, advogados, banqueiros ou em outras profissões, tiveram a sorte de ser influenciados por Papa Joe.

Escolha seus mentores com cuidado, porque, se aprender os princípios do sucesso e aplicá-los um dia, provavelmente vai ultrapassar as realizações deles e deixar o seu legado.

O maior serviço que uma pessoa pode prestar à humanidade é o incentivo para o desenvolvimento da autoconfiança, da certeza do próprio poder e, mais que tudo, do poder de dominar o mais potente e insidioso inimigo que já atacou a raça humana – o *medo*. Essa é a mensagem de Orison Swett Marden, que escreveu sobre suas experiências na estrada para o sucesso.

Lee Iacocca, o lendário executivo da indústria automobilística que teve muito sucesso na Ford Motor Company, depois foi para a Chrysler como CEO e literalmente salvou a montadora da falência, sem dúvida será lembrado por sua capacidade administrativa. O que também precisamos lembrar quando o nome de Lee Iacocca for mencionado é seu comentário citando Elbert Hubbard: "Não importa o que você fez por si mesmo ou pela humanidade, se você não consegue se lembrar de ter dado amor e atenção à sua família, o que você realmente realizou?". A declaração de Iacocca significa que o sucesso começa na família e que, se queremos deixar um legado, a família é o lugar lógico para começar.

Muitas pessoas se tornaram conhecidas pelas realizações no trabalho, seja nos esportes, seja nos negócios, seja no entretenimento. Pessoas como Oprah Winfrey, Tom Cruise e Donald Trump se tornaram celebridades conhecidas e idolatradas no mundo todo. Mas cada uma será lembrada pelo bem que fez à sociedade. A riqueza pode ser perdida rapidamente. Quando Andrew Carnegie disse "Aquele que morre rico morre desgraçado", talvez estivesse nos dizendo que, daqueles que receberam muito, muito é esperado.

Uma personalidade conhecida está criando um legado de efeitos positivos sobre nosso bem mais precioso – nossa juventude. E essa personalidade eu conheço pessoalmente: Dolly Parton, nascida na pequena cidade de Sevierville, Tennessee, à beira do Parque Nacional das Montanhas Great Smoky, realizou feitos impressionantes e influenciou a vida de milhares, se não milhões, de pessoas pelo mundo com seu talento e filantropia.

John Ruskin, escritor inglês do século 19, escreveu: "Você vai descobrir que a simples decisão de não ser inútil e o desejo honesto de ajudar outras pessoas vai, da maneira mais rápida e delicada, melhorar você mesmo".

Admito que, no começo da minha carreira, era dinheiro, dinheiro e dinheiro que me motivava, porque eu pensava nunca ter o bastante. Conforme envelheci, aprendi o que filósofos e outros homens sábios nos disseram – a felicidade não está em muitas posses, mas em ser útil aos outros. Albert Schweitzer resumiu bem ao dizer: "O propósito da vida humana é servir, mostrar compaixão e vontade de ajudar os outros".

Quando percorre o caminho pessoal para o sucesso, você descobre por si que a felicidade está no serviço. Como Tom Brokaw disse uma vez: "É fácil fazer dinheiro. É muito mais difícil fazer a diferença".

Como todos nós somos parte desta Terra, naturalmente devemos querer ajudar os outros. Albert Schweitzer provavelmente disse melhor: "Você deve doar um tempo ao seu semelhante. Mesmo que seja pouco, faça alguma coisa pelos outros – alguma coisa pela qual não receba pagamento, mas que tenha o privilégio de fazer".

Todos os nossos sonhos podem se realizar –
se tivermos a coragem de ir atrás deles.
— WALT DISNEY

O autor Orison Swett Marden escreveu que devemos ter castelos no ar antes de termos castelos no chão. Napoleon Hill escreveu que pensamentos são coisas. Hill estava simplesmente expressando a mesma coisa que Marden: tudo começa em nosso processo de pensamento.

E também acaba lá.

SOBRE O AUTOR

Don Green é diretor executivo da Fundação Napoleon Hill. Graduado em contabilidade e administração na Universidade Estadual do Leste do Tennessee, prosseguiu os estudos dedicando-se a fases avançadas do sistema bancário na Escola Stonier de Pós-Graduação Bancária, em Rutgers. Tendo a atuação em bancos como vocação natural, começou de baixo e progrediu até se tornar presidente e CEO, cargos que ocupou durante vinte anos.

A ascensão meteórica na carreira foi acompanhada por diversas contribuições à comunidade e pela fraternidade comercial. Seus cargos públicos variam de postos em instituições educacionais, hospitais, causas de caridade, organizações de serviço comunitário e conselhos de arbitragem. Foi presidente da Câmara de Comércio de seu condado e presidente do Conselho de Fundação da Universidade da Virgínia em Wise – função que ainda ocupa com orgulho. É membro do Conselho de Administradores da UVA-Wise, da Casa Maçônica Hoge, do Clube Kiwanis e do movimento Shriners.

Recebeu o Prêmio de Cidadão de Destaque do Ano em 1996; o Prêmio Sam Walton de Liderança Empresarial em 1998; o Prêmio

William P. Canto de Educação em 1999; e o Prêmio Voluntário do Ano da Universidade da Virgínia em 2000.

Organizou e implantou com êxito, no currículo da UVA-Wise, um curso de três horas de crédito, "Chaves para o sucesso", baseado nos princípios de Napoleon Hill. Lecionou por vários anos no curso, que ainda é muito popular entre os alunos. Sob sua liderança, muitas bolsas de estudo foram concedidas, bem como o financiamento completo da cadeira Napoleon Hill no departamento de administração.

Graças a Don e à equipe da Fundação Napoleon Hill, a popularidade dos escritos de Hill continua exercendo efeito positivo em pessoas do mundo inteiro.

Lançamentos Exclusivos
Napoleon Hill

EDITORA PARCEIRA OFICIAL DA
FUNDAÇÃO NAPOLEON HILL

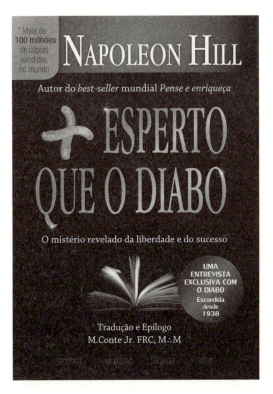

Fascinante, provocativo e encorajador, *Mais Esperto que o Diabo* mostra como criar a sua própria senda para o sucesso, harmonia e realização em um momento de tantas incertezas e medos. Após ler este livro você saberá como se proteger das armadilhas do Diabo e será capaz de libertar sua mente de todas as alienações.
"Medo é a ferramenta de um diabo idealizado pelo homem."

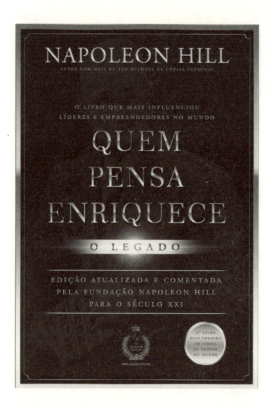

Quem pensa enriquece - O legado é o clássico *best-seller* sobre
o sucesso agora anotado e acrescido de exemplos modernos,
comprovando que a filosofia da realização pessoal de Napoleon Hill
permanece atual e ainda orienta aqueles que são bem-sucedidos.
Um livro que vai mudar não só o que você pensa,
vai mudar o modo como você pensa.

O manuscrito original - As leis do triunfo e do sucesso de Napoleon Hill ensina o que fazer para ser bem-sucedido na vida. Sucesso é mais do que acumular dinheiro e exige mais do que uma mera vontade de chegar lá. Napoleon Hill explica didaticamente como pensar e agir de modo positivo e eficiente e como conseguir a ajuda dos outros para a realização de objetivos.

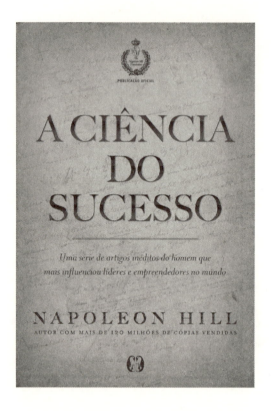

Uma série de artigos inéditos do homem que mais influenciou líderes e empreendedores no mundo. Esses ensaios, que contêm ensinamentos sobre a natureza da prosperidade e como alcançá-la e oferecem *insights* sobre a popularidade e o estilo envolvente do autor como orador e escritor motivacional, são publicados aqui em forma de livro pela primeira vez.

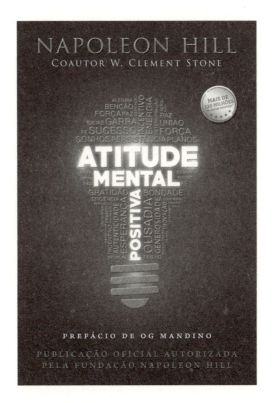

Sua mente é um talismã secreto. De um lado é dominado pelas letras AMP (Atitude Mental Positiva) e, por outro, pelas letras AMN (Atitude Mental Negativa). Uma atitude positiva irá, naturalmente, atrair sucesso e prosperidade. A atitude negativa vai roubá-lo de tudo que torna a vida digna de ser vivida. Seu sucesso, saúde, felicidade e riqueza, dependem de qual lado você irá usar.

Livros para mudar o mundo. O seu mundo.

Para conhecer os nossos próximos lançamentos
e títulos disponíveis, acesse:

🌐 www.**citadeleditora**.com.br

ⓕ /**citadeleditora**

📷 @**citadeleditora**

🐦 @**citadeleditora**

▶ Citadel - Grupo Editorial

Para mais informações ou dúvidas sobre a obra,
entre em contato conosco através do e-mail:

✉ contato@**citadeleditora**.com.br

A instituição MasterMind tem sua marca registrada na língua portuguesa e é a única autorizada e credenciada pela The Napoleon Hill Foundation (EUA) a usar seu selo oficial, sua metodologia em cursos, palestras, seminários e treinamentos que são altamente recomendáveis.

Mais informações:
www.mastermind.com.br